Réfléchissez
et devenez riche

NAPOLEON HILL

Réfléchissez et devenez riche

 éditions
du jour

5705 est, rue Sherbrooke, Montréal

RÉFLÉCHISSEZ ET DEVENEZ RICHE
Traduit de l'anglais par Thérèse Gindraux

Distributeur :
Les Nouvelles Messageries Internationales du Livre Inc.
4550 Hechelaga, Montréal,
Tél.: 256-7551

Maquette de la couverture :
Jacques Gagnier

Think and grow rich
Original English language edition published by Hawthorn Books, Inc. New York City
Copyright 1966 by the Napoleon Hill Foundation

Traduit de l'américain par Thérèse Gindraux
Éditions française et allemande aux Éditions Ramòn F. Keller-Genève
Tous droits réservés, y compris la publication d'extraits ou toute forme de reproduction

Édition canadienne en langue française
par les Éditions du Jour inc.
® Tous droits réservés. Copyright, Ottawa, 1972
Dépôt légal - Bibliothèque Nationale du Québec
4e trimestre 1972
ISBN: 0-7760-0470-0

TABLE DES MATIÈRES

L'AUTEUR ET SON LIVRE

NAPOLÉON HILL naquit en 1883 dans la pièce unique d'une cabane quelque part dans les montagnes de Virginie. Etudiant, il travailla dans un journal pour payer ses études de droit à l'Université de Georgetown. Son activité de journaliste devait être à l'origine de l'oeuvre qui domina sa vie. Ses articles attirèrent l'attention de Robert L. Taylor, Gouverneur du Tennessee et propriétaire du « Bob Taylor's Magazine », qui l'engagea à 25 ans pour écrire une série de reportages consacrés à la réussite d'hommes célèbres. Il rencontra ainsi Andrew Carnegie, qui lui suggéra une étude qui allait durer 20 ans: interviewer, dans le but de tirer de leurs expériences un enseignement qui serait accessible à tous, les 504 hommes d'Amérique dont la réussite était la plus éclatante. Parmi ceux-ci nommons: Ford, Wrigley, Wanamaker, Eastman, Rockefeller, Edison, Woolworth, Darrow, Burbank, Morgan, Firestone ainsi que trois Présidents des États-Unis. M. Hill publia en 1928 sa première version d'une philosophie de la réussite, exactement 20 ans après son entretien capital avec Carnegie. Pour nourrir sa famille, il dut exercer plusieurs professions. Il fut directeur de la publicité à « La Salle Extension University » de Chicago, et rédacteur en chef et éditeur du « Golden Rule Magazine ». Pendant la première guerre mondiale, il fit partie de l'état-major du Président Woodrow Wilson en tant que chargé des relations publiques. En 1933, Jennings Randolph, Sénateur de la Virginie de l'Ouest, le présenta au Président Roosevelt qui lui confia un poste semblable. Quelques années plus tard, Hill donnait sa démission pour se consacrer à ses travaux personnels et à l'élaboration du présent ouvrage. En 1952, une association Napoléon Hill fut fondée et il sortit de sa demi-retraite pour enseigner la philosophie du succès. Il dirigea la Fondation qui porte son nom, une institution éducative à but non lucratif, destinée à répandre la science de la réussite. En 1963, il fonda « l'Académie de la réussite personnelle » alors qu'il fêtait son 80ème anniversaire.

Un des livres les plus puissants du monde est entre vos mains

Expérimenté par ceux qui ont fait fortune, cet ouvrage vous révèle le plan qu'ils ont suivi. Vous le suivrez à votre tour, apprenant de page en page comment le mettre immédiatement en pratique.

Qu'est-ce qui rend un homme capable d'avancer rapidement dans la vie, de gagner de l'argent, de multiplier ses biens, d'être heureux alors qu'un autre n'arrive même pas à prendre le départ?

Qu'est-ce qui permet à un homme de posséder un grand pouvoir personnel, alors qu'un autre en est totalement démuni? Qu'est-ce qui permet à l'un de résoudre ses problèmes et de toujours retrouver, malgré les obstacles que lui oppose la vie, la route qui mène à la réalisation de ses rêves, tandis que l'autre lutte, échoue et n'arrive à rien?

Il y a plusieurs années, Andrew Carnegie, alors l'un des hommes les plus riches du monde, initia Napoléon Hill au « grand secret ». Il le chargea, non seulement de découvrir comment réussissent ceux qui l'utilisent, mais aussi d'étudier leurs méthodes et de les réunir en une seule pour la donner au monde. Elle serait *le Plan*.

« RÉFLÉCHISSEZ ET DEVENEZ RICHE! » vous révèle ce secret et vous donne ce plan. Le livre vit le jour en 1937 et depuis, 42 éditions ont été publiées. Celle-ci, remise à jour, comporte plusieurs éléments nouveaux de présentation, susceptibles d'aider à la compréhension de l'ouvrage comme l'aide-mémoire concis qui résume chaque chapitre.

Vous allez connaître la seule méthode qui permet de surmonter *tous* les obstacles, de satisfaire n'importe quelle ambition et qui est une source intarissable de succès. Ce livre a le pouvoir de transformer votre vie.

Vous saurez bientôt *pourquoi* certaines personnes deviennent très riches et très heureuses: vous serez l'une d'elles.

INTRODUCTION

Dans tous les chapitres de ce livre, il est question du secret qui a fait la fortune de centaines d'hommes sur la vie desquels je me suis longuement penché.

C'est Andrew Carnegie qui, il y a maintenant plus d'un demi-siècle, attira mon attention. Je n'étais qu'un étudiant lorsque l'adorable vieil Ecossais aux cheveux blancs me parla, une lueur joyeuse dans les yeux, essayant de voir si j'avais saisi la pleine signification de ce qu'il m'avait dit.

Quand il vit que je l'avais compris, il me demanda si j'étais disposé à préparer pendant vingt ans ou plus la diffusion de son secret aux hommes et aux femmes qui, sans cela, risquaient d'accumuler dans leur vie échec sur échec. Je répondis que je l'étais et, avec son aide, j'ai tenu mon engagement.

L'idée de M. Carnegie était de mettre la formule magique, grâce à laquelle il avait gagné une magnifique fortune, à la portée de tous ceux qui n'ont pas le temps de chercher comment font les autres pour gagner de l'argent; il espérait que je pourrais la tester et en démontrer la solidité à travers les expériences d'hommes et de femmes de professions et de milieux très divers. Il désirait que la formule fût étudiée dans les écoles publiques et à l'Université et déclara que, bien enseignée, elle révolutionnerait tout le système éducatif, car le temps passé à l'école pourrait être réduit de moitié.

Des histoires vraies montrent le pouvoir extraordinaire de ce secret

Dans le chapitre sur la foi, vous lirez ce que fut l'organisation de la géante United States Steel Corporation conçue et menée à bien par l'un des hommes qui permit à Carnegie de prouver que sa formule est valable *pour tous ceux qui s'y sont préparés*. Sa seule application rapporta à cet homme *600 millions de dollars*.

Ces faits, dont peuvent se souvenir tous ceux qui ont connu M. Carnegie, vous donnent une juste idée de ce que la lecture de ce livre va vous apporter *si vous savez ce que vous voulez.*

Ce secret fut révélé à des milliers d'hommes et de femmes qui l'utilisèrent à leur profit comme l'avait voulu M. Carnegie. Certains ont fait fortune, d'autres ont rétabli la paix dans leur foyer. A un clergyman, il rapporta un revenu de plus de 75.000 dollars par an.

Arthur Nash, tailleur à Cincinnati, testa la formule avec sa propre affaire, proche de la faillite. Sans tarder, elle prospéra et fit sa fortune. Elle reste florissante bien que M. Nash ne soit plus de ce monde. Son redressement avait été à tel point spectaculaire que les journaux et les revues s'en étaient emparé, lui faisant une publicité gratuite de plus d'un million de dollars!

Le secret auquel je fais allusion est mentionné plus de cent fois dans ce livre, mais indirectement, car il semble qu'il agisse avec plus d'efficacité quand il n'est pas entièrement dévoilé; ceux qui sont prêts à l'adopter doivent se donner la peine de le chercher. C'est pourquoi M. Carnegie, quand il m'en parla, ne m'en précisa jamais le nom.

Le secret parle à celui qui l'écoute

Si vous êtes prêt à l'utiliser, vous reconnaîtrez ce secret au moins une fois par chapitre. Je voudrais avoir le plaisir de vous dire comment vous saurez que vous êtes prêt, mais cela vous priverait d'une grande partie du bénéfice que vous retirerez d'une découverte personnelle.

Si vous avez été découragé, si, ayant eu des difficultés à surmonter, vous avez échoué, si vous avez été diminué par la maladie ou par une infirmité physique, le récit de la découverte de mon fils et de l'utilisation qu'il fit de la formule de Carnegie vous prouvera qu'elle est l'oasis vainement cherchée dans le Désert des Espoirs Perdus.

Ce secret fut largement utilisé par le Président Wilson durant la première guerre mondiale. Il était dissimulé dans l'entraînement que reçut chaque soldat avant de partir pour le front. Le Président Wilson me confia qu'il fut d'une aide très précieuse lorsqu'il fallut trouver les fonds nécessaires à la guerre.

Il est un fait singulier concernant ce secret, c'est que ceux qui le connaissent et l'utilisent se trouvent irrémédiablement entraînés vers le succès. Si vous ne me croyez pas, relevez les noms de ceux qui s'en

sont servi partout où on les mentionne et vous en serez convaincu.
Avoir quelque chose pour rien, est-ce possible?
Le secret dont je parle ne s'acquiert que si l'on en paie le prix d'ailleurs
bien moins élevé que sa valeur. Ceux qui ne le cherchent pas ne le
posséderont jamais. Il ne peut être ni vendu, ni acheté. On l'acquiert
en deux fois et ceux qui sont prêts à le recevoir en ont déjà acquis
la moitié. Il les sert sans discrimination. L'instruction ne joue là aucun
rôle. Bien avant que je sois né, ce secret était en possession de Thomas
A. Edison qui l'utilisa avec tant d'intelligence qu'il devint le plus
grand inventeur du monde bien qu'il n'ait été que trois mois à l'école.
Edwin C. Barnes, l'associé d'Edison, en fit usage avec une telle efficacité
qu'il fut rapidement à la tête d'une énorme fortune et se retira des
affaires alors qu'il était encore jeune. Vous trouverez son histoire au
début du premier chapitre. Elle devrait vous convaincre de ce que la
richesse est à votre portée. Vous pouvez encore devenir ce que vous
avez rêvé d'être; l'argent, la célébrité et le bonheur peuvent appartenir à
tous ceux qui sont prêts et décidés à les acquérir.
Comment sais-je tout cela? Avant de terminer la lecture de ce livre,
vous aurez ma réponse. Vous la trouverez dans le premier chapitre ou
à la dernière page!
Pendant vingt ans de recherches entreprises à la demande de M. Carnegie, j'ai questionné des centaines de personnages célèbres et nombreux
furent ceux qui m'avouèrent qu'ils avaient acquis leur fortune grâce au
secret de Carnegie; nous pouvons nommer:

Henry Ford	King Gillette
William Wrigley Jr	Ralph A. Weeks
John Wanamaker	Le juge Daniel T. Wright
James J. Hill	John D. Rockefeller
George S. Parker	Thomas A. Edison
E. M. Statler	Frank A. Vanderlip
Henry L. Doherty	F. W. Woolworth
Cyrus H. K. Curtis	Col. Robert A. Dollar
George Eastman	Edward A. Filene
Charles M. Schwab	Edwin C. Barnes
Harris F. Williams	Arthur Nash
Dr. Frank Gunsaulus	Theodore Roosevelt
Daniel Willard	John W. Davis

Elbert Hubbard	Elbert H. Gary
Wilbur Wright	Clarence Darrow
William Jennings Bryan	Dr. Alexander Graham Bell
Dr. David Starr Jordan	John H. Patterson
J. Odgen Armour	Julius Rosenwald
Arthur Brisbane	Stuart Austin Wier
Woodrow Wilson	Dr. Frank Crane
William Howard Taft	George M. Alexander
Luther Burbank	J. G. Chapline
Edward W. Bok	U.S. Sen. Jennings Randolph
Frank A. Munsey	

Ces noms ne représentent qu'une faible partie des centaines d'Américains célèbres qui comprirent et appliquèrent le secret de Carnegie.

Je n'ai jamais entendu dire qu'il ait conduit quelqu'un à un échec et personne n'a jamais réussi, ou fait fortune, sans l'appliquer. J'en conclus qu'il est essentiel et plus important que n'importe quelle connaissance que l'on peut acquérir par ce qui est communément appelé « l'instruction ». Au fait, qu'est-ce que l'instruction? Je réponds à cette question en détail.

Le *tournant* de *votre* vie

Si vous êtes préparé à le recevoir, à un moment donné le secret dont je parle jaillira de votre lecture et vous apparaîtra, bien visible. Vous le reconnaîtrez immédiatement. Cet instant marquera le tournant de votre vie.

Rappelez-vous que ce livre traite de faits réels et non de fiction et que son but est de faire connaître une vérité universelle qui apprendra à tous ceux qui s'y sont préparés *ce qu'il faut faire et comment il faut le faire!* Ils en retireront également le stimulant indispensable à un bon départ.

Pour terminer cette entrée en matière, j'aimerais encore vous dire afin que vous reconnaissiez plus facilement au passage le secret de M. Carnegie que: *toute réussite, toute fortune, débute par une idée!* Si vous êtes prêt à recevoir le secret, vous en possédez déjà une moitié; le moment venu, vous reconnaîtrez aisément l'autre.

NAPOLÉON HILL

CHAPITRE 1

Une pensée est un fait

Le pouvoir qui caractérise le succès est le pouvoir de votre pensée.

Comment accorder votre vie à vos projets et à vos ambitions?

Une pensée est véritablement un fait puissant lorsqu'elle allie un but défini, une décision constante de mener celui-ci à bien, et un désir brûlant d'atteindre à la richesse ou à n'importe quel autre objectif du même ordre.

Prenons un exemple précis. Il y a quelques années, un désir naissait dans le cerveau d'Edwin C. Barnes: devenir l'associé du grand Edison, travailler *avec* et non *pour* l'inventeur. Mais comment transformer ce désir en réalité? Barnes ne connaissait pas Edison et, de plus, il n'avait pas de quoi s'offrir le train jusqu'à East Orange, dans le Jersey. Ces deux obstacles, qui auraient suffi à décourager la plupart des gens, Barnes allait les surmonter par son obstination et sa volonté.

Edison le regarda...

Il se présenta au laboratoire d'Edison et déclara tout de go qu'il venait faire affaires avec lui. Plus tard, relatant cette première rencontre, Edison raconta: « Il se tenait debout devant moi pareil à un vagabond; *mais quelque chose dans l'expression de son visage laissait pressentir qu'il ne s'en irait pas sans avoir eu ce qu'il voulait.* Des années d'expérience m'avaient appris qu'un homme qui désire une chose à un point tel qu'il est capable pour l'obtenir de jouer tout son avenir sur un simple coup de dé, est sûr de gagner. Je lui procurai l'occasion qu'il demandait *parce que je vis qu'il était fermement décidé à l'obtenir.* Les événements qui suivirent me donnèrent raison. »

L'apparence extérieure du jeune homme n'avait eu aucun poids dans son engagement, au contraire elle l'eût plutôt desservi. La seule chose qui compta fut *la détermination qui se lisait en lui.*

Les mois passèrent. Apparemment rien ne permettait à Barnes de se rapprocher du seul but qui comptait à ses yeux. Cependant, deux facteurs essentiels se précisaient en lui: son désir de devenir l'associé d'Edison s'intensifiait, il se sentait prêt à cette collaboration et décidé à le demeurer jusqu'à ce que son désir se réalisât. Il ne se disait pas: « A quoi bon? Je ferais mieux d'abandonner et de me contenter d'une place de vendeur dans la maison ». Mais il pensait: « Je suis ici pour collaborer avec Edison et je le ferai, dussé-je consacrer le reste de ma vie à atteindre ce but! » *Et il le pensait vraiment.*

L'histoire des hommes serait bien différente si ceux-ci avaient un seul but précis et s'y tenaient jusqu'à le transformer en une obsession tenace! Le jeune Barnes l'ignorait peut-être à cette époque, mais son obstination et son acharnement allaient avoir finalement raison de tous les obstacles.

La chance entre par une porte dérobée...

Enfin l'occasion qu'il attendait se présenta, mais pas du tout comme il l'avait imaginée.

Edison venait d'inventer une nouvelle machine de bureau connue à l'époque sous le nom de: Machine à dicter d'Edison. Ses employés, peu enthousiastes et persuadés qu'elle ne trouverait jamais acquéreurs, hésitaient à se charger de la vendre. Barnes sut immédiatement qu'il le pourrait. Il le dit à Edison, qui le laissa courir sa chance. Il la vendit, et si bien, qu'Edison lui en confia le marché pour tout le pays.

Cette association rendit Barnes très riche. Combien exactement lui rapporta-t-elle? Lui seul le sait. Peut-être deux ou trois millions de dollars, mais cette somme, aussi élevée soit-elle, devient insignifiante comparée au capital que Barnes avait acquis, car il savait désormais qu'une pensée peut se concrétiser si l'on agit suivant quelques principes qui vous sont justement expliqués dans ce livre. Barnes désirait fortement devenir l'associé d'Edison, il désirait faire fortune. Il n'avait qu'un seul atout dans son jeu: il savait ce qu'il voulait et persévérait jusqu'à la réalisation de son désir.

L'homme qui abandonna

Pourquoi échouons-nous dans nos entreprises? Le plus souvent parce que, *découragés par ce que nous croyons être un échec définitif*, nous abandonnons la partie. Nous sommes tous passés par là, un jour ou l'autre.

A l'époque de la ruée vers l'or, un oncle de R. U. Darby partit vers l'Ouest faire fortune. Il ne savait pas que *les pensées des hommes recèlent plus d'or que la terre n'en eut et n'en aura jamais.* Au jeu il gagna une concession et s'y rendit, pioche et pelle sur l'épaule.

Après plusieurs semaines de labeur incessant, ses efforts se virent récompensés. Il avait trouvé le métal tant convoité, il lui fallait maintenant du matériel pour exploiter le filon. Il referma consciencieusement la mine et retourna chez lui, à Williamsburg, dans le Maryland, pour informer ses parents et amis de sa « trouvaille ». A eux tous, ils parvinrent à réunir de quoi acheter un matériel complet qui fut embarqué aussitôt à destination de l'Ouest, cependant que l'oncle retournait travailler à la mine en emmenant cette fois son neveu Darby.

Le premier wagonnet chargé d'or fut, par bateau, acheminé vers une fonderie. Le rendement prouva aux heureux propriétaires qu'ils possédaient une des plus riches mines du Colorado. Encore quelques wagonnets et toutes leurs dettes seraient payées. Ensuite viendraient les gros bénéfices.

En avant les foreuses et voguent les espoirs!

Mais, tout à coup, le filon disparut! Les machines forèrent désespérément, essayant de le retrouver. En vain. A un aventurier qui passait, les Darby vendirent matériel et concession pour une bouchée de pain et ils reprirent le train pour le Maryland. Le nouveau propriétaire consulta un expert qui se livra à un petit calcul et attribua l'échec des Darby à une méconnaissance des terrains et des couches géologiques. D'après lui, on retrouverait le filon à 3 pieds de l'endroit où l'oncle et le neveu avaient fait arrêter le forage! Ce qui se révéla parfaitement exact!

L'aventurier ramassa ainsi des millions de dollars parce qu'il avait sollicité les conseils d'un ingénieur des mines.

Le succès suit l'échec

C'est bien des années plus tard, quand *il comprit que le désir peut se transformer en or*, que Darby amortit enfin cette lourde perte. Il avait déjà monté son affaire d'assurances-vie et appliquait la leçon qu'il avait tirée de son expérience malheureuse. Il se répétait chaque fois que l'occasion s'en présentait: « J'ai capitulé devant l'or, *je ne capitulerai jamais devant un client qui me refuse une assurance* ».

Barnes devint l'un de ces privilégiés qui vendirent, par an, pour plus d'un million de dollars d'assurances-vie.

Le succès vient rarement sans que l'on ait d'abord essuyé plusieurs échecs. Lorsque l'échec parait total, quoi de plus logique et de plus facile que de renoncer? C'est exactement ce que font la plupart des gens. J'ai interrogé plus de cinq cents Américains parmi ceux qui ont le mieux réussi. Tous m'ont confié qu'ils avaient connu leur plus grand succès immédiatement après un échec qui semblait sans espoir. Souvent, l'échec, comme s'il voulait jouer un bon tour, ne fait que masquer la réussite qui est en fait beaucoup plus proche qu'on ne le pense.

Une enfant tient tête à un homme

A peine M. Darby était-il sorti diplômé de l'« Ecole des Coups Durs » et avait-il décidé que la leçon ne serait pas perdue, qu'il assista à une scène qui lui prouva que « non » ne veut pas toujours dire non!

Son oncle exploitait une grande propriété dans laquelle plusieurs fermiers de couleur vivaient avec leurs familles du produit de la récolte. Un jour que Darby était allé lui rendre visite et l'aidait à moudre le blé dans un très vieux moulin, la porte s'ouvrit lentement, une petite fille noire entra et demeura plantée sur le seuil.

L'oncle leva les yeux, vit l'enfant et gronda: « Qu'est-ce que tu veux? » La petite répondit avec douceur: « Ma maman demande vous lui donner 50 cents ».

« Pas question, rétorqua l'oncle, maintenant va-t-en! »

« Oui, Monsieur, » dit l'enfant. *Mais elle ne bougea pas.*

L'oncle était si absorbé par son travail qu'il ne s'en aperçut pas tout de suite. Quand il la vit, il hurla: « Vas-tu filer? Sinon je me charge de te faire déguerpir! »

« Oui, Monsieur » dit la petite. *Mais elle ne broncha pas.*

L'oncle laissa tomber le sac de grains qu'il s'apprêtait à vider dans la trémie du moulin, saisit la douve d'un tonneau éventré et avança vers la fillette. Son visage laissait voir l'embarras qui résultait d'une telle situation.

Darby retint son souffle: Il savait son oncle très colérique. Le fixant droit dans les yeux, l'enfant fit prestement un pas en avant et cria de toutes ses forces: « Ma maman avoir besoin de 50 cents ».

L'oncle s'arrêta net, la regarda un long moment, puis lentement il posa la planche par terre, mit sa main dans sa poche et en sortit un demi dollar. La petite fille prit l'argent qu'il lui tendait et recula jusqu'à la porte sans quitter des yeux l'homme à qui elle venait de tenir tête. Quand elle fut sortie, l'oncle s'assit sur une caisse près de la fenêtre et contempla le paysage pendant plus de 10 minutes. Sidéré, il essayait de s'expliquer les causes de sa défaite.

De son côté, Darby réfléchissait. C'était la première fois qu'il voyait une enfant noire tenir délibérément tête à un adulte blanc. Comment était-ce possible? De quel pouvoir extraordinaire disposait donc cette enfant pour être arrivée à transformer l'oncle irascible en un agneau docile? Quel était le secret qui lui avait permis de dominer la situation?

Barnes n'avait pas trouvé de réponses à ces questions quand, de longues années plus tard, il me conta toute l'histoire à l'endroit même, coïncidence curieuse, où son oncle enregistra la défaite de sa vie.

Le « oui » masque le « non »

Dans ce vieux moulin sentant le moisi, M. Darby me posa la question suivante: « Quel était donc l'étrange pouvoir qu'utilisa l'enfant pour avoir raison de mon oncle? »

La réponse figure dans les principes exposés par ce livre. Complète et détaillée, elle permet à celui qui la trouve de comprendre et d'utiliser à ses propres fins ce même pouvoir qu'exerça instinctivement l'enfant. Vous en aurez un aperçu dans le chapitre suivant. Peut-être ne vous frappera-t-elle qu'à la faveur d'une idée ou à la lumière d'un projet au cours d'une lecture plus avancée. Vous prendrez alors conscience de vos erreurs passées et cela suffira à vous faire rattraper tout ce qu'elles vous auront fait perdre.

Lorsque j'eus expliqué à M. Darby de quel ordre était le pouvoir que l'enfant noire avait utilisé, celui-ci reconnut après réflexion que les succès professionnels qu'il enregistrait depuis trente ans étaient dus en grande partie à la leçon qui lui avait été donnée dans sa jeunesse: « Chaque fois, me dit-il, qu'un client essaie de me renvoyer poliment, moi et mes assurances, je revois cette enfant avec ses grands yeux inquiets, et je reviens à la charge. Les meilleures ventes, je les enregistre toujours avec des gens qui m'avaient signifié leur refus. » Rappelant également l'erreur que son oncle et lui-même avaient commise en abandonnant la partie à trois pieds seulement de l'or, il admit: « Cette expérience m'a été finalement d'un grand secours, elle m'a appris à *tenir coûte que coûte* malgré toutes les difficultés et c'était une leçon dont j'avais grand besoin pour entreprendre quoi que ce fut avec succès. »

En elles-mêmes, les expériences de M. Darby n'ont rien d'extraordinaire, mais elles eurent un effet capital sur son avenir. Il les a *analysées*, en a tiré une leçon. C'est essentiel! Mais tout le monde ne médite pas sur des échecs afin d'en faire des succès éclatants; d'ailleurs comment savoir que l'échec est la première étape du succès?

Ayez une seule bonne idée et vous réussirez

Les treize principes qui sont étudiés dans ce livre répondent à toutes vos questions. Cependant, n'oubliez pas que la vraie réponse aux questions que *vous* vous posez est en *vous* et qu'elle jaillira dans votre esprit à la faveur de cette lecture.

Une bonne idée, c'est tout ce qu'il faut pour réussir. Mais, me direz-vous, comment la trouver? Les principes dont je fais état dans ce livre vous l'apprendront.

Avant de passer à leur étude, méditez cette pensée: *lorsque l'argent afflue, c'est si rapidement et en si grande quantité que l'on se demande toujours où il se cachait durant les années de vaches maigres.*

Constatation d'autant plus étonnante que la plupart des gens s'imaginent que seuls ceux qui accomplissent un dur travail pendant de longues années méritent la fortune. Mais dès que vous deviendrez riche, vous vous rendrez compte qu'il vous aura fallu peu de travail, un travail facile, et que l'état d'esprit dans lequel vous vous serez trouvé ainsi que le fait d'avoir poursuivi un but bien arrêté, auront eu le plus d'importance.

Cet état d'esprit qui attire la fortune, comment l'acquérir? J'en ai cherché 25 ans la réponse.

Dès que vous mettrez nos principes en pratique, vous observerez une nette augmentation de votre compte en banque et tout ce que vous toucherez tournera à votre avantage. Impossible, dites-vous? Vous avez tort. Si vous ne me croyez pas et préférez tenter de faire fortune en *imitant* ceux qui ont réussi, vous n'arriverez à rien.

Le succès vient aux optimistes comme l'échec va aux défaitistes.

Notre ambition est de changer le défaitiste en optimiste.

Trop de gens aiment le mot « impossible » et beaucoup ont aussi un autre défaut, celui de juger êtres et choses en fonction d'eux-mêmes. Cela me rappelle l'histoire de ce jeune Chinois que ses parents envoyèrent en Amérique parfaire son éducation. Un jour, le Président Harper le rencontra dans les jardins de l'Université; il s'arrêta, lui adressa quelques mots avec bienveillance et lui demanda ce qui l'avait le plus frappé chez les Américains.

« Eh bien, répondit l'étudiant, c'est la forme bizarre de vos yeux, ils sont si drôlement dessinés!... »

Qu'en pensez-vous? Nous refusons de croire à ce qui nous dépasse, nous pensons, fous que nous sommes, que nos limites sont celles de tout le monde et trouvons les yeux des autres « bizarres » parce qu'ils sont différents des nôtres.

Je le veux, je l'aurai!

Un jour, Henry Ford imagina un moteur dans lequel les huit cylindres ne feraient qu'un seul bloc (le fameux V-8). Il demanda à ses ingénieurs de le lui dessiner. Ceux-ci, après étude, conclurent qu'il était *impossible* de couler un moteur de huit cylindres en une seule pièce.

« Faites-le quand même » leur dit Ford.

« Mais c'est impossible! »

« Recommencez, commanda Ford, et mettez-y tout le temps qu'il faudra. »

Ils se remirent au travail: C'était la seule chose à faire s'ils désiraient conserver leur place. Six mois passèrent, puis six autres. Lors de la conférence de fin d'année, Ford les interrogea et ils ne purent que lui confirmer l'échec de leur mission.

« Continuez, leur dit Ford. Je le veux, je l'aurai! »

Ils reprirent leur étude et un beau jour, comme par magie, ils découvrirent le secret de la construction. Une fois de plus l'obstination de Ford avait vaincu l'obstacle.

Henry Ford a réussi parce qu'il connaissait et *appliquait* les principes de la réussite. L'un d'eux consiste à désirer quelque chose de façon

précise, c'est-à-dire en sachant exactement ce que l'on veut.
Reprenez l'histoire de Ford depuis le début; pouvez-vous souligner les
passage qui témoignent que Ford appliquait la loi de la réussite? Oui?
Alors vous pouvez l'égaler et réussir tout ce que vous serez appelé à
entreprendre.

La vérité n'a pas échappé à un poète

Quand Henley écrivit ces deux vers prophétiques: « Je suis le maître
de mon destin, le capitaine de mon âme » (I am the master of my fate,
I am the captain of my soul), il aurait dû préciser que nous ne sommes
ce maître et ce capitaine *qu'en contrôlant nos pensées.*
Il aurait dû nous expliquer que certaines de nos pensées sont si fortes,
celles que j'appelle les pensées *dominantes*, qu'elles hypnotisent en
quelque sorte notre cerveau; celui-ci, par un phénomène dont nous
ignorons tout, attire alors à nous, comme le ferait un aimant, les forces,
les gens, les circonstances qui s'accordent à ces pensées.
Il aurait dû ajouter qu'avant de pouvoir accumuler des richesses, nous
devons hypnotiser notre esprit par le désir d'argent qui, tout naturelle-
ment, nous amènera à échafauder des plans dans ce sens.
Mais Henley était un poète et non un philosophe. Il s'est donc contenté
de nous livrer sous une forme poétique une vérité profonde, laissant à
ses lecteurs le soin d'interpréter ses vers.
Peu à peu, cette vérité s'impose à nous pour finalement nous persuader
que les principes décrits dans ce livre contiennent tout le mystère qui
nous permet de contrôler notre destin économique.

Un jeune homme voit son destin

Nous voilà prêts à examiner le premier de ces principes. Rappelez-vous,
en lisant bien attentivement les chapitres suivants, que je ne suis pas
le seul à y croire, que bien des hommes les ont expérimentés et en ont
fait leur profit. Vous-même pouvez donc vous en servir avec succès et
sans aucune difficulté.
Il y a quelques années, on me demanda de prononcer le discours d'ouverture à l'Université de Salem, en Virginie de l'Ouest. Je parlai avec tant
d'enthousiasme du principe décrit dans le chapitre suivant, qu'un élève
de dernière année fut conquis et décida de l'adopter dans le cadre de la

philosophie qu'il s'était créée. Ce jeune homme devint membre du Congrès et fit partie de l'administration de Franklin Roosevelt. Il m'envoya une lettre où il me donnait si clairement son opinion sur ce principe que j'ai décidé de la publier sous forme d'introduction au prochain chapitre. Elle donne une parfaite idée des avantages que l'on peut en retirer. Voici cette lettre:

Mon cher Napoléon,

Ma situation en tant que membre du Congrès m'ayant donné l'occasion d'étudier de près les problèmes humains, je vous écris pour vous faire une suggestion susceptible d'aider des milliers de braves gens.

En 1922, vous prononçâtes en ma présence à l'Université de Salem une allocution d'ouverture. J'en retins une idée qui me permet actuellement de servir mon pays et à laquelle je devrai dans une large mesure tous mes éventuels succès futurs.

Je me souviens comme si c'était hier, de l'étonnante description que vous nous fîtes de la méthode qu'utilisa Henry Ford pour devenir riche et influent alors qu'au départ il était sans le sou, sans relations et n'avait que peu d'instruction. Avant même que vous ayez fini de parler, j'étais décidé à me tailler une place au soleil malgré les difficultés que je pourrais rencontrer.

Des milliers de jeunes gens terminent cette année ou vont terminer sous peu leurs études. Ils auront besoin d'un enseignement tel que celui que vous m'avez donné. Ils voudront en effet savoir comment affronter la vie et vous qui avez aidé tant de personnes à trouver la solution de leurs problèmes, vous pouvez le leur apprendre.

Il y a actuellement en Amérique des milliers de gens qui débutent dans la vie avec des idées et pas un sou; ils doivent immédiatement faire face à des échéances qu'ils ne peuvent couvrir. Ceux-là seraient bien heureux de savoir comment transformer leurs idées en monnaie sonnante et trébuchante. Si quelqu'un peut les y aider, c'est bien vous.

Si vous décidez un jour d'écrire un livre dans ce but, je serais très heureux d'en recevoir le premier exemplaire avec votre dédicace.

Affectueusement à vous

Jennings Randolph

25 ans après, en 1957, je retournai avec plaisir à l'Université de Salem

pour prononcer cette fois un discours devant les élèves diplômés. Je reçus en même temps le titre de Docteur ès Lettres *honoris causa*. Depuis 1922, date à laquelle je reçus cette lettre, j'ai pu suivre la carrière de J. Randolph, sénateur de la Virginie de l'Ouest et orateur de grand talent. Il devint l'un des hommes les plus influents de notre pays.

RÉSUMÉ:

Comme Edwin Barnes, vous pouvez être pauvrement vêtu et n'avoir pas le sou; qu'importe si vous avez en vous un désir assez puissant pour ne plus agir qu'en fonction de cet impératif qui vous conduira à la réussite?

Plus vous persisterez dans vos entreprises, plus vous aurez de chances de les voir aboutir. Trop de gens abandonnent la partie alors qu'ils sont tout près de la réussite et laissent les autres en profiter à leur place.

Le but est la pierre angulaire de toute réalisation. Un homme fort peut être tenu en échec par une enfant qui poursuit un but. Essayez de perdre l'habitude de penser en fonction de vous seul et vous pourrez réaliser ce que vous avez toujours cru impossible.

Comme Henry Ford, vous pouvez faire partager aux autres votre conviction et votre persévérance, et leur faire réaliser « l'impossible ».

TOUT CE À QUOI L'HOMME PENSE ET CROIT PEUT SE RÉALISER

CHAPITRE 2

Première étape vers la fortune: le désir

C'est le désir qui transforme les rêves en réalité.

Plus vous demanderez à la vie plus vous recevrez d'elle.

Lorsque, il y a plus de cinquante ans, Edwin C. Barnes descendit du train à East Orange, il aurait facilement pu passer pour un vagabond tant il était vêtu pauvrement; cependant ses pensées étaient celles d'un roi!

Tandis qu'il se rendait au bureau de Thomas A. Edison, il réfléchissait. Il se voyait parlant à Edison, lui demandant de l'aider à réaliser son désir. Non pas un *espoir* ou un *souhait* mais un *désir ardent* qui surpassait tout le reste et qui était très *précis*.

Quelques années plus tard, Edwin C. Barnes se trouvait avec Edison dans ce même bureau. Mais alors son désir était devenu réalité: *Barnes était l'associé d'Edison.* Il avait réussi parce qu'il avait voulu de tout son corps et de toute son âme mener à bien le but précis qu'il s'était choisi.

Pas de retraite possible

Cinq ans s'écoulèrent avant que l'occasion attendue se présentât. Pour tout le monde, il n'était qu'un rouage de plus dans l'affaire d'Edison, mais depuis le premier jour qu'il était entré dans la maison, il se sentait l'associé de l'inventeur. Il désirait l'être plus que tout au monde et dans ce but, il élabora un plan. Pour être sûr d'aller de l'avant, il coupa les ponts derrière lui. Son désir, d'abord obsession, devint un fait réel.

Lors de son voyage à East Orange, il ne se disait pas: Je vais demander à Edison de me trouver un travail, n'importe lequel, mais bien: « Je verrai Edison et préciserai que je veux faire affaire avec lui. »

Il ne raisonnait pas non plus de la façon suivante: « Si jamais Edison ne peut rien pour moi, j'essaierai de trouver du travail dans le coin, » mais il se répétait fermement: « Je ne désire qu'une chose: être l'associé d'Edison. Et je le deviendrai. Mon avenir dépend uniquement de la persuasion dont j'userai aux fins d'obtenir ce que je veux. »

Volontairement il ne se ménagea aucune porte de sortie. Il devait *vaincre ou mourir!*

Tout le secret de la réussite de Barnes est là.

Il brûla ses vaisseaux

L'antiquité nous rapporte comment un fameux guerrier grec gagna une bataille avec une armée moins forte numériquement que celle de l'ennemi. Il fit monter ses soldats sur des vaisseaux et cingla vers le pays belligérant. Là, il fit débarquer hommes et armes, puis donna l'ordre de mettre le feu aux embarcations. Haranguant ses soldats avant la bataille, il leur dit: « Comme vous pouvez le constater, nous n'avons plus de bateaux. Cela veut dire que nous ne pourrons quitter ces rivages vivants que si nous gagnons la bataille. Nous n'avons plus le choix: *il nous faut vaincre ou mourir!* »

Ils remportèrent la victoire.

Celui qui veut réussir doit brûler ses vaisseaux se coupant ainsi toute retraite. Cette méthode engendrera chez lui un état d'esprit qui est la clé du succès.

Le lendemain du grand incendie de Chicago, des commerçants de State Street contemplaient les restes calcinés de leurs magasins. Ils tinrent une conférence pour décider s'il fallait reconstruire, ou quitter Chicago et ouvrir boutique dans un endroit plus rentable.

Ils conclurent qu'il fallait quitter la ville. Un seul, pointant du doigt les ruines de son magasin, décida: « Messieurs, ici même je ferai construire le plus grand magasin du monde et j'y arriverai, même s'il devait brûler dix fois! »

Un siècle s'est écoulé. Le magasin est toujours là et c'est un monument qui témoigne de la puissance d'un désir ardent. Pour Marshall Field, la solution facile eut été de suivre ses compagnons d'infortune et, fuyant une situation difficile et un avenir qui paraissait peu souriant, de chercher ailleurs un bonheur plus accessible.

Cependant, retenez bien ceci: alors que Marshall Field réussissait au-delà de ses espérances, les autres commerçants connaissaient tous de cuisants échecs là où ils s'étaient installés.

Tout être humain, à un moment donné, souhaite avoir de l'argent. Or, il ne suffit pas de *souhaiter* être riche pour le devenir, il faut le *désirer* jusqu'à l'obsession, bâtir dans ce but un plan précis et s'y tenir avec une persévérance *de tous les instants.*

Six instructions qui transformeront vos désirs en or

Voici les six instructions précises et faciles à exécuter qui vous permettront de changer vos désirs en leur équivalent matériel, c'est-à-dire en monnaie sonnante et trébuchante:

1. Fixez le montant *exact* de la somme que vous désirez; il ne suffit pas de dire: « Je veux beaucoup d'argent »; il faut en préciser la quantité. (Nous étudierons dans un autre chapitre la psychologie de la précision).

2. Sachez exactement ce que vous allez *donner* en échange de l'argent que vous désirez. On n'a rien pour rien.

3. Fixez avec précision la date à laquelle vous voulez être *en possession* de cet argent.

4. Etablissez le plan qui vous aidera à transformer votre désir et *commencez-en immédiatement l'application,* même si vous jugez que vous n'êtes pas encore prêt.

5. Ecrivez clairement sur un papier la somme que vous voulez acquérir, le délai que vous vous êtes fixé, ce que vous avez l'intention de donner en contrepartie et le plan précis que vous avez imaginé pour mener tout cela à bien.

6. Lisez ce papier à haute voix deux fois par jour: le soir avant de vous endormir et le matin en vous réveillant. Pendant cette lecture, il est essentiel que déjà vous vous voyiez, sentiez et croyiez en possession de cet argent.

Il est très important que vous appliquiez à la lettre ces six principes et spécialement le 6ème. Peut-être, me direz-vous, qu'il vous est impossible de faire semblant d'avoir déjà cet argent? Cependant, si votre désir est aussi fort qu'il doit l'être, rien ne pourra vous arrêter et vous vous convaincrez facilement que vous êtes déjà riche. Ce qu'il faut, c'est vouloir de l'argent et être si décidé à en avoir qu'il est facile alors de se convaincre soi-même qu'on le possède déjà!

Des instructions qui valent 100.000.000 de dollars

Ces instructions paraîtront incompréhensibles à ceux qui ne sont pas initiés au fonctionnement du cerveau humain. Il est bon que les sceptiques sachent qu'elles firent d'Andrew Carnegie, petit ouvrier dans une aciérie, un milliardaire et que feu Thomas A. Edison les approuva entièrement comme étant des étapes indispensables pour atteindre la fortune et n'importe quel autre objectif.

Vous n'aurez pas besoin, pour suivre ces instructions, de travailler dur, de faire des sacrifices, de paraître ridicule ou naïf, d'être très instruit. Mais, par contre, il vous faudra assez d'imagination pour comprendre que l'on ne fait pas fortune par hasard ou par chance, et qu'il vous faut d'abord rêver, espérer, désirer, vouloir et enfin *tirer des plans avant* de réussir.

Sachez également dès maintenant que vous ne gagnerez jamais beaucoup d'argent *si* vous n'en avez pas le *désir ardent et si au fond de vous-même vous ne le croyez pas possible.*

De beaux rêves peuvent vous apporter la richesse

Le monde moderne dans lequel nous vivons a besoin de nouvelles idées, de nouveaux chefs, de nouvelles inventions, de nouvelles méthodes d'enseignement et de vente commerciale, d'une nouvelle littérature, d'une nouvelle technique pour la télévision et le cinéma. Voilà qui devrait nous stimuler, nous qui sommes engagés dans la course à la richesse. Rappelez-vous que ceux qui ont dominé le monde, les vrais chefs de l'humanité, sont ceux qui ont converti leurs pensées en gratte-ciel, en villes, en usines, en automobiles, etc. Par la force de leur pensée, ils ont créé des biens matériels. Ils savaient ce qu'ils voulaient et le *désiraient ardemment.* Sans quoi ils auraient échoué.

Lorsque vous aurez décidé d'acquérir votre part de richesse, ne vous laissez pas influencer, même si l'on se moque de votre rêve. Essayez de retrouver l'esprit des grands pionniers qui ont donné à notre civilisation tout ce qu'elle a de plus valable.

Si ce que vous désirez entreprendre n'est réprouvé ni par la loi, ni par la morale, *si vous y croyez*, alors n'hésitez pas: faites-le et persévérez dans votre entreprise. Qu'importe ce que « les autres » diront si d'abord vous échouez. Ils ne savent pas que tout échec porte le germe de la réussite. Prenez l'exemple de Thomas Edison qui rêva d'une lampe électrique et la réalisa après plus de *10.000 échecs!* Seuls les rêveurs stériles abandonnent. Whelan rêva d'une chaîne de magasins de tabacs et actuellement « l'Union des Magasins de tabac » occupe en Amérique quelques-uns des meilleurs emplacements.

Les frères Wright rêvèrent d'une machine qui s'élèverait dans les airs. Personne ne peut contester cette prémonition.

Marconi rêva d'un système qui dompterait les forces intangibles de l'atmosphère. Chaque radio, chaque télévision dans le monde est une preuve qu'il ne rêva pas en vain. Lorsqu'il annonça à ses intimes qu'il avait découvert le moyen d'envoyer des messages à travers l'atmosphère, sans l'aide de fils ni d'aucun intermédiaire, des amis affolés le firent surveiller et le contraignirent même à un examen psychiatrique!...

De nos jours, les « rêveurs » sont mieux accueillis et le monde regorge d'occasions inconnues de leurs prédécesseurs.

Le désir suit immédiatement le rêve

Si vous êtes paresseux ou peu ambitieux, vous ne réaliserez pas votre rêve; il faut pour le mener à bien que vous ayez le désir ardent de vous imposer.

Rappelez-vous que tous ceux qui ont réussi ont connu de nombreuses désillusions et des moments difficiles. Souvent des crises graves leur ont ouvert de nouveaux horizons et leur ont fait découvrir leur être véritable.

John Bunyan écrivit *Le voyage du Pélerin* (Pilgrim's Progress) un des chefs-d'oeuvre de la littérature anglaise, après avoir été emprisonné pour ses idées religieuses.

O. Henry vit fondre sur lui de grandes épreuves. L'une fut à l'origine de son génie. Emprisonné à Columbus dans l'Ohio et conduit ainsi à découvrir son être véritable, il devint un grand écrivain.

Charles Dickens débuta en collant des étiquettes sur des flacons. Il ressentit si vivement le drame de son premier amour qu'avec *David Copperfield*, suivi d'autres chefs-d'oeuvre, il devint l'un des plus grands écrivains du XIXème siècle.

Le nom d'Helen Keller restera gravé dans la mémoire des hommes.

Pourtant sa détentrice fut aveugle, sourde et muette. Toute sa vie prouve
qu'un échec non reconnu, n'en est pas un.

Robert Burns, petit campagnard illettré, était promis à la pauvreté et
peut-être à la boisson. Mais son oeuvre poétique s'épanouit comme une
rose qu'il aurait fait pousser dans la boue.

Beethoven était sourd et Milton aveugle. Mais tous deux concrétisèrent
leurs rêves et figurent au panthéon des hommes célèbres. Il y a une
différence entre vouloir une chose et être prêt à la recevoir. On ne peut
être prêt pour quelque chose si on ne *croit* pas fermement pouvoir
l'acquérir: l'espoir ou la volonté ne suffisent pas, il faut encore *la foi.*
N'oubliez pas qu'il ne faut pas plus d'efforts pour viser haut qu'il n'en
faut pour accepter la misère et la pauvreté. Un grand poète a exprimé
cette vérité éternelle:

> J'ai demandé à la Vie un sou
> Et je n'ai pas reçu davantage
> Bien que j'aie prié le soir
> Dans ma misérable échoppe.
>
> Car la Vie est la plus juste des patronnes:
> Elle vous donne ce que vous demandez,
> Mais une fois votre salaire fixé
> Vous devez vous en contenter.
>
> J'ai travaillé pour un salaire de laquais
> Pour apprendre consterné
> Que j'aurais pu demander à la Vie n'importe quels gages,
> Elle me les aurait volontiers donnés.

Le désir rend possible « l'impossible »

Pour clore ce chapitre, je citerai encore quelques exemples frappants.
Tout d'abord, permettez-moi de vous présenter l'être le plus extraordinaire que j'aie connu. Lorsque je le vis pour la première fois, il venait
de naître et sa petite tête ne portait pas trace d'oreilles. Le médecin
déclara que l'enfant était sourd-muet.

En moi-même, je récusai vivement ce diagnostic. J'en avais le droit.
J'étais le père de l'enfant. Mais je ne dis rien. Je ne pouvais m'expliquer
comment je savais qu'un jour mon fils entendrait et parlerait. Plus que

tout au monde, je désirais qu'il fût normal. Je sentis que dans son esprit, je devais faire passer mon propre désir. Je n'en parlai à personne et tous les jours je me répétais l'engagement que j'avais pris vis-à-vis de moi-même: faire de mon fils un être normal.

Lorsqu'il fut un peu plus grand et eut l'âge de s'intéresser aux objets qui l'entouraient, nous nous rendîmes compte qu'il entendait très faiblement. A l'âge où les autres commencent à parler, il n'essayait même pas de balbutier, mais nous savions, grâce à certaines de ses réactions, qu'il entendait vaguement quelques sons. C'était tout ce que je voulais savoir; car j'étais persuadé que s'il pouvait entendre, même faiblement, il pourrait développer son ouïe. Et un jour cet espoir se trouva confirmé d'une manière tout à fait inattendue.

Nous trouvons un moyen...

Nous achetâmes un phonographe. Quand l'enfant entendit de la musique il fut tout émerveillé et accapara rapidement l'appareil. Un jour, il fit tourner le même disque pendant deux heures, debout devant le phonographe, les dents soudées au bord du coffre. Plus tard, apprenant que l'os est bon conducteur du son, nous sûmes la raison de cette attitude. Je me rendis compte qu'il me comprenait parfaitement lorsque je parlais en appuyant les lèvres sur l'os mastoïde à la base de son crâne. C'était le moment de transférer dans son esprit mon désir qu'il entendît et parlât. Comme il aimait beaucoup qu'on lui racontât des histoires, j'en inventai qui devaient développer sa confiance en soi, son imagination et *un désir ardent d'entendre et d'être comme les autres enfants.*

A son histoire préférée je donnais, chaque fois que je la contais, une nouvelle intensité dramatique. Elle avait pour but de le persuader que son infirmité n'était pas un boulet qu'il traînerait toute sa vie, mais un atout formidable. Bien que toutes les philosophies m'aient enseigné que tout revers porte le germe de la réussite, je dois avouer que je ne voyais absolument pas comment cette infirmité pourrait jamais se transformer en un précieux avantage!

Rien n'aurait pu l'arrêter

En repensant à cette expérience, je comprends que les résultats inouïs que nous obtînmes étaient avant tout dûs à *la foi* que mon fils mettait en moi. Il ne s'étonnait de rien, ne me posait jamais de questions. Je lui expliquais qu'il possédait un net avantage sur son frère aîné ce qui, de plusieurs manières, jouerait en sa faveur. Par exemple, à l'école, ses professeurs s'occuperaient davantage de lui et seraient très gentils, ce qui se révéla toujours exact. Lorsqu'il serait assez grand pour vendre des journaux et se faire un peu d'argent de poche, comme son frère, les gens lui donneraient de plus gros pourboires, le jugeant très courageux. Il avait environ 7 ans lorsqu'il nous prouva pour la première fois que notre méthode portait ses fruits. Il voulait vendre des journaux, mais sa mère s'y opposait. Finalement, il décida d'agir seul. Un après-midi que nous l'avions laissé avec les domestiques, il sauta par la fenêtre de la cuisine, roula sur le sol, se releva et s'enfuit à toutes jambes. Au cordonnier, notre voisin, il emprunta 6 cents pour acheter des journaux qu'il vendit, en racheta avec son gain et continua ce trafic jusqu'au soir. Les 6 cents remboursés, son bénéfice net était de 42 cents. Lorsque nous rentrâmes à la maison, il dormait dans son lit, serrant dans une main sa petite fortune.

Sa mère pleura. J'eus la réaction contraire: j'éclatai de rire: j'avais enfin réussi à inculquer à l'enfant la confiance en soi. Dans cette aventure, sa mère ne voyait qu'un infirme errant seul dans les rues et risquant sa vie pour gagner un peu d'argent. Je voyais un petit homme d'affaires, courageux, ambitieux et indépendant qui, en prenant l'initiative de son acte, s'était moralement enrichi et avait gagné la partie. Mon fils s'était montré très débrouillard et je pensais que cette qualité était appelée à lui rendre service plus tard.

Enfin il entend!

L'enfant fit toutes ses classes, puis fréquenta l'Université sans pouvoir entendre ses professeurs sauf quand ceux-ci criaient et qu'il était au premier rang. Nous refusâmes de l'envoyer dans une institution pour sourds et ne voulûmes pas qu'il apprît l'alphabet des sourds-muets. Nous désirions qu'il partageât la vie des autres enfants et nous persistâmes dans notre décision bien que nous eûmes à nous battre de nombreuses fois avec les autorités scolaires qui n'étaient pas de notre avis.

A l'époque de ses études secondaires, il essaya un appareil électrique pour sourds, mais sans résultat. Aussi, lorsque quelques années plus tard, peu avant de quitter l'Université, il en reçut un autre, hésita-t-il

longtemps avant de le porter craignant une déception aussi grande que
la première. Finalement, n'y tenant plus, il plaça l'appareil au petit bonheur sur sa tête, le mit en marche et... miracle! comme par magie, le
rêve de toute sa vie se réalisa: pour la première fois, il entendait presque
aussi bien que les autres!

Bouleversé, il se précipita au téléphone et appela sa mère. Il entendit
clairement sa voix comme le lendemain il devait entendre ses professeurs.
Il pouvait converser sans que ses interlocuteurs dussent crier. Un monde
nouveau s'ouvrait à lui.

Mais la victoire ne fut complète que lorsque le jeune homme eut méta-
morphosé son infirmité en un *splendide atout*.

Le jeune « sourd » aide les autres

Réalisant encore difficilement tout ce que cette découverte allait lui
apporter, il écrivit, fou de joie, au fabricant de l'appareil lui décrivant
avec enthousiasme sa propre expérience. Sa lettre plut. Il fut invité à
New-York, escorté jusqu'à la fabrique où il rencontra l'ingénieur en
chef. C'est en lui racontant comment sa vie avait été transformée par le
petit appareil, qu'une idée, qui allait convertir son infirmité en atout
et le rendre à la fois riche et heureux, lui traversa l'esprit.

Il comprit tout à coup qu'il pourrait venir en aide à des millions de
sourds qui ignoraient encore les appareils électriques. Durant un mois
entier, il fit des recherches dans ce sens, il étudia le marché du fabricant
et imagina les moyens d'entrer en contact avec les sourds du monde
entier. Puis il présenta à la compagnie un projet s'étalant sur deux ans
et fut immédiatement engagé pour le mener à bien.

Je suis persuadé que Blair serait resté sourd-muet si sa mère et moi-même
ne nous étions pas efforcés de modeler son esprit comme nous le fîmes.
Mon désir que cet enfant entendît, parlât et menât une vie normale
était si puissant qu'il influença la nature. Elle abolit le silence qui
l'isolait du monde extérieur.

Blair désirait entendre, et il entend! Pourtant il est né avec un tel
handicap qu'avec un désir moins ardent de le vaincre, il n'aurait pu
prétendre qu'à faire la quête ou à vendre de la pacotille dans les rues.
Conjugués, la foi et un ardent désir ont un puissant pouvoir créateur.
N'oublions pas qu'ils sont accessibles à tous les hommes.

Ce que le désir d'une chanteuse fit en sa faveur

Je lus un jour un entrefilet concernant Madame Schumann-Heink qui expliquait indirectement sa réussite professionnelle. Je vous le livre parce que la clef de cette réussite n'est autre que le désir.

Au début de sa carrière, Mme Schumann-Heink rendit visite au directeur de l'Opéra de Vienne lui demandant une audition. Le directeur s'y refusa toisant la jeune fille gauche et pauvrement vêtue. Il lui dit non sans dureté: «Comment osez-vous prétendre réussir à l'Opéra? Regardez-vous! Vous n'avez pas un physique de théâtre, ma pauvre enfant. Renoncez donc à votre projet et achetez une machine à coudre. Croyez-moi, *vous ne serez jamais cantatrice.* »

Jamais, c'est un long bail! La technique du chant n'avait aucun secret pour le directeur de l'Opéra de Vienne, mais il ignorait le pouvoir du désir obsessionnel.

Il y a quelques années, un de mes associés tomba malade. Son état empira et il fut transporté d'urgence à l'hôpital pour y être opéré. Le médecin m'avertit qu'il avait très peu de chances de guérir. C'était là son opinion et non celle de son patient qui, étendu sur le chariot, me glissa à l'oreille: «Ne vous en faites pas, chef, je serai hors d'affaire dans quelques jours ». Il supporta bien l'opération et guérit en un temps record. Le médecin me dit alors: « Ce qui l'a sauvé, c'est uniquement son désir de vivre. Il a survécu parce qu'il a refusé l'éventualité de la mort. »

Je crois au pouvoir du désir conjugué avec la foi. Je l'ai vu élever des débutants aux places les plus importantes, leur donnant gloire et richesse; je l'ai vu arracher des victimes à la tombe; je l'ai vu déterminer un nouvel essai après cent défaites; je l'ai vu donner à mon fils une vie normale, heureuse et réussie malgré son handicap initial.

Comment utiliser à nos fins le pouvoir du désir? Ce chapitre et les suivants répondent à cette question.

Par un étrange et puissant processus de « chimie mentale » qu'elle ne nous a jamais dévoilé, Dame Nature a fait qu'un désir ardent abolit l'impossible et l'idée même de l'échec.

RÉSUMÉ:

Lorsque le désir vous pousse à conjuguer tous vos efforts vers la victoire, ne vous ménagez aucune retraite et cette victoire sera vôtre.

Six instructions précises transformeront votre désir en or. Elles rapportèrent à Andrew Carnegie 100.000.000 de dollars.

C'est en partant d'une défaite que le désir bâtit la victoire. C'est le désir qui éleva sur des cendres l'un des plus grands magasins du monde.

Un enfant sans oreilles apprit à entendre. Une femme qui n'avait « aucune chance » de le devenir, fut une cantatrice célèbre. Un homme malade, perdu au dire des médecins, guérit. Le désir, voilà la force qui a aidé ces différentes personnes par le truchement d'une « chimie mentale » étrange mais naturelle.

NOTRE ESPRIT N'A POUR LIMITES
QUE CELLES
QUE NOUS LUI RECONNAISSONS

CHAPITRE 3

Deuxième étape vers la richesse: la foi

Une foi judicieusement orientée donne à chacune de nos pensées une puissance fabuleuse.

Vous atteindrez les sommets les plus hauts poussé par la force de cette nouvelle confiance en vous.

La foi est le chimiste en chef de notre esprit. Lorsque la foi et la pensée s'interpénètrent, elles émettent des vibrations que le subconscient capte et transforme en un équivalent subtil qui agit comme la prière sur l'Intelligence Infinie.

Les émotions qui relèvent de la foi, de l'amour, du désir physique sont les plus puissantes des émotions positives. Conjuguées, elles influencent intensément le processus du subconscient qui dirige la réponse concrète.

Vous n'aurez la foi que si vous la cherchez

La foi est un état d'esprit que l'on acquiert en affirmant ou en répétant des instructions au subconscient qui joue un très grand rôle dans la concrétisation du désir.

Prenez en exemple votre propre cas: Pourquoi lisez-vous ce livre? Parce que vous voulez savoir comment transformer votre intangible désir en son équivalent palpable, c'est-à-dire en argent. En suivant les instructions qui vous sont données dans le chapitre sur l'autosuggestion et celles qui sont résumées dans celui-ci, vous pourrez convaincre votre subconscient que vous *croyez* à la réalisation de ce que vous demandez.

Lorsque vous aurez parfaitement assimilé les treize principes de ce livre, vous pourrez développer à volonté votre foi.

La seule façon de développer volontairement la foi est de répéter à son subconscient des ordres affirmatifs.

Peut-être comprendrez-vous mieux à la lumière de l'exemple suivant comment certains hommes deviennent des criminels endurcis. Voici en effet ce que dit un célèbre criminologiste: « Lorsqu'un homme affronte le crime pour la première fois, il est horrifié et déteste ce qu'il a fait; s'il persiste à l'affronter, il s'y habitue et finalement l'assimile à sa façon de vivre. »

Ce qui revient à dire que n'importe quelle pensée, répétée sans cesse au subconscient, est finalement acceptée.

Considérez maintenant la remarque suivante: *toutes les pensées qui ont été ressenties et pétries de foi se transforment d'elles-mêmes en leur équivalent physique.*

Les émotions animent les pensées et nous poussent à l'action. La foi, l'amour et le désir physique donnent à la pensée une plus grande puissance.

Nous avons retenu que les pensées, stimulées par la foi, atteignent et influencent le subconscient. Précisons que toute pensée agit de même, qu'elle soit animée par un sentiment positif ou par un sentiment négatif.

Ceux qui pensent qu'ils n'ont « pas de chance »

Vous allez en déduire que le subconscient traduit en son équivalent physique une pensée aussi bien négative, c'est-à-dire destructrice, que positive et constructrice. De là l'étrange phénomène dont sont victimes des millions de gens: ils pensent qu'ils n'ont « pas de chance ».

Ils se croient condamnés à la pauvreté et à l'échec par une force étrange sur laquelle ils sont persuadés n'avoir aucun contrôle. Ces gens-là sont les artisans de leurs propres « malheurs »: leurs pensées noires sont captées par le subconscient qui les transforme en leurs équivalents physiques.

Rappelons qu'il ne suffit pas, pour voir transformer un désir en son équivalent physique, de l'imposer au subconscient. Encore faut-il *croire* à la mutation.

La foi est l'élément qui détermine l'action de votre subconscient. Si cela est nécessaire, rien ne vous empêche de l'abuser comme j'ai abusé celui de mon fils. Autrement dit, en faisant appel à lui, conduisez-vous exactement comme si vous aviez déjà reçu la réponse matérielle que vous désirez.

Le subconscient transformera en son équivalent physique n'importe quel ordre donné par celui qui croit en sa réalisation.

Mais il n'est pas si facile de croire profondément à un ordre donné à son subconscient; cette certitude ne s'impose pas à vous instantanément en lisant des instructions. Il y faut une certaine pratique.

Vous devez encourager les émotions positives à dominer votre pensée et bannir à jamais les idées noires. C'est essentiel.

Votre esprit sera alors un tremplin pour la foi et donnera à volonté des instructions au subconscient qui les acceptera et oeuvrera immédiatement.

La foi rend la pensée puissante

De tout temps, les religions ont exhorté l'homme *à la foi*. Mais *comment* l'acquérir? On ne lui a jamais expliqué que « la foi est un état d'esprit qui se crée par autosuggestion ».

Ayez foi en vous-même; foi en l'Infini.

La foi est « l'éternel élixir » qui donne à la pensée la vie, la puissance et l'impulsion créatrice.

La foi est le premier pas vers la richesse.

La foi est à la base de tous les « miracles » et mystères qui ne peuvent être expliqués par la science.

La foi est le seul antidote connu de l'échec.

La foi est l'élément subtil qui, dans la prière, permet de communiquer avec l'Intelligence Infinie.

La foi transforme en son équivalent spirituel la pensée créée par le cerveau limité de l'homme.

Seule la foi permet aux hommes de capter la force cosmique de l'Intelligence Infinie et de l'utiliser.

Les pensées dominantes de votre esprit

Qu'est-ce que l'autosuggestion et quel est son pouvoir?

Il est bien connu que l'on finit par croire, même si c'est faux, ce que l'on s'est répété maintes fois. Celui qui se répète un mensonge finit par ne plus le voir tel qu'il est. Il en fait une vérité personnelle. Les pensées dominantes d'un homme le différencient d'un autre et le font ce qu'il est. Elles constituent des forces motivatrices puissantes, particulièrement quand, pétries d'affectivité, elles contrôlent les faits et les gestes de leur auteur.

Les pensées qui sont accompagnées d'un sentiment émotionnel constituent une force magnétique qui attire *des pensées similaires ou qui ont quelque rapport avec elles.*

Ces pensées peuvent être comparées à des graines qui, plantées dans un sol fertile, germent, grandissent et se multiplient.

L'esprit humain capte continuellement des ondes qui s'accordent avec ses pensées. Toute pensée, toute idée, tout plan, tout projet qui occupe notre cerveau attire une armée de pensées. Elles s'agglomèrent, se fondent, grandissent jusqu'à devenir les pensées dominantes qui font agir l'individu.

Comment se greffe dans notre esprit la graine originelle d'une idée, d'un plan ou d'une intention? La réponse est simple: *par la répétition de la pensée.* C'est pourquoi il vous est recommandé de coucher sur papier votre but essentiel, de l'apprendre par coeur, et de le répéter tous les jours à haute voix jusqu'à ce que votre subconscient en ait capté les ondes.

Prenez la résolution de ne vous laisser influencer en rien et de bâtir votre propre vie comme vous l'avez décidé. En faisant l'inventaire de vos possibilités et de vos qualités, peut-être découvrirez-vous que vous avez un point faible. Manquez-vous, par exemple, de confiance en vous? C'est un handicap certain mais que vous pouvez parfaitement surmonter. Par l'autosuggestion transformez votre timidité en courage.

Voici cinq règles qui, écrites, apprises par coeur et répétées, vous permettront d'appliquer le principe de l'autosuggestion.

Cinq règles pour avoir confiance en soi

1. Je sais que je suis capable d'atteindre le but que je me suis fixé; en conséquence, *j'exige* de moi-même une action continue et inlassable dans ce sens.

2. Je sais que mes pensées dominantes passeront par plusieurs stades avant de se transformer en réalité physique; c'est pourquoi, je consacrerai 30 minutes par jour à penser à l'homme que j'ai l'intention de devenir et à m'en faire une image précise.

3. Je sais que, grâce au principe de l'autosuggestion, n'importe quel désir que je garderai obstinément dans mon esprit se manifestera bientôt par des signes extérieurs avant d'atteindre enfin le but fixé:

c'est pourquoi je consacrerai dix minutes par jour à exiger de moi-même *une plus grande confiance*.

4. J'ai rédigé une description très claire du *but précis* que je me suis fixé et je ne cesserai d'essayer de le réaliser.

5. Je sais parfaitement bien qu'une richesse — ou qu'une situation — mal acquise est un château construit sur le sable: elle ne saurait durer. Aussi n'engagerai-je aucune transaction qui, ne bénéficiant qu'à moi-même, lèserait une ou plusieurs personnes. Je réussirai en attirant les forces dont j'ai besoin et, en étant toujours le premier à rendre service, je donnerai à mes semblables l'envie de m'aider. En développant en moi l'amour de l'humanité, je chasserai de mon coeur toute haine, toute envie, toute jalousie, tout égoïsme, tout cynisme car je sais qu'une attitude négative envers mon prochain ne peut m'apporter que déception. Il croira en moi parce que je montrerai que je crois en lui et en moi. Je signerai cette déclaration, je l'apprendrai par coeur et je la répèterai une fois par jour à haute voix en croyant, sans aucune réserve, que peu à peu mes pensées en seront influencées ainsi que mes actes et que j'atteindrai alors la confiance en moi et le succès personnel que je vise.

Si l'on creuse cette autosuggestion, on trouve une loi de la nature que personne n'a jamais pu expliquer. Son nom importe peu. Ce qui compte, c'est que, utilisée dans un but constructif, elle mène à la gloire et à la réussite de l'humanité, tandis qu'utilisée dans un but négatif, elle détruit. Nous pouvons donc en déduire que ceux qui se découragent à la suite d'une défaite et finissent dans la misère ont appliqué l'autosuggestion dans un état d'esprit négatif. Pourquoi? Parce que toutes les pensées ont tendance à se transformer d'elles-mêmes en leur équivalent physique.

Vous pouvez vous imaginer dans la pire des catastrophes

Le subconscient ne fait pas la différence entre des pensées positives ou négatives; il travaille avec les matériaux qu'on lui donne et il concrétise aussi bien une pensée de peur qu'une autre engendrée par le courage. De même que l'électricité est une arme à deux tranchants: elle rend des services inestimables mais peut apporter la mort, de même la loi de l'autosuggestion peut-elle procurer paix et prospérité ou conduire à la misère, à l'échec, au désespoir et à la mort.

Si vous n'avez en vous que peur, doute et maigre confiance en votre aptitude à saisir et à utiliser les forces de l'Intelligence Infinie, la loi d'autosuggestion s'emparera de ces sentiments qui seront traduits par le subconscient en leur équivalent physique, ce qui sera bien sûr désastreux!

De même que le vent pousse un bateau vers l'ouest et un autre vers l'est, la loi d'autosuggestion vous élèvera ou vous abaissera selon l'inclination de vos pensées.

Voici comment un poète décrit cette loi de l'autosuggestion:

> Si vous pensez que vous êtes battu, vous l'êtes.
> Si vous pensez que vous n'osez pas, vous n'oserez pas.
> Si vous voulez gagner, en pensant ne pas pouvoir,
> Il est presque certain que vous ne le pourrez pas.
>
> La dure bataille de la vie
> Ce ne sont pas toujours les plus forts ni les plus rapides qui
> [la gagnent:
> L'homme qui tôt ou tard remporte la victoire
> Est celui qui PENSE QU'IL EN EST CAPABLE!

La grande expérience de l'amour

Quelque part dans votre esprit stagne la graine de la réussite qui activée vous fera atteindre des sommets dont vous n'aviez jamais osé rêver. Jusqu'à 40 ans et plus, Abraham Lincoln rata tout ce qu'il entreprenait. Il fit les frais d'une certaine expérience qui devait éveiller en lui le génie et donner au monde l'un de ses grands hommes. Cette expérience tissée de chagrin et d'amour, il la dut à Ann Rutledge, la seule femme qu'il aima.

Il est bien connu que le sentiment d'amour crée un état d'esprit très proche de celui qu'engendre la foi, car l'amour lui aussi peut transformer la pensée en son équivalent physique. L'auteur, lorsqu'il étudia les réussites extraordinaires de centaines d'individus, découvrit que l'amour y jouait presque toujours un rôle primordial.

S'il vous faut une preuve du pouvoir de la foi, étudiez les hauts faits de ceux qui la possédèrent et d'abord de Jésus de Nazareth. La foi est la base du christianisme, bien que beaucoup de gens ne l'aient pas compris ou aient faussé le sens de cette grande force.

Les actes du Christ que l'on a qualifiés de « miracles » n'étaient rien d'autre que des phénomènes qui se produisaient grâce à un certain état d'esprit connu sous le nom de foi!

Un autre exemple du pouvoir extraordinaire de la foi nous est donné par le Mahatma Gandhi. C'était l'homme le plus puissant de son époque et pourtant il ne possédait aucun des attributs habituels du pouvoir tels que l'argent, une flotte, des soldats et un matériel de guerre. Gandhi n'avait pas d'argent, pas de maison, il ne possédait même pas un costume, mais il était puissant. Comment? Pourquoi?

Cette force il l'avait créée parce que, profondément croyant, il était capable de communiquer sa foi à deux cent millions de personnes.

Gandhi réussit à unir deux cent millions d'âmes pour n'en faire plus qu'une. Seule la foi peut réussir pareil exploit.

Donner pour gagner

Parce que la foi et la coopération sont indispensables au commerce et à l'industrie, il serait à la fois intéressant et fructueux d'analyser la méthode qu'utilisent industriels et hommes d'affaires et qui consiste à *donner* avant d'essayer de *gagner*.

L'événement que nous relatons remonte à l'année 1900 où se créa l'United States Steel Corporation. Vous êtes, peut-être, de ceux qui se demandent comment se font les grosses fortunes; l'histoire de cette compagnie vous l'apprendra.

Cet étonnant témoignage nous a été rapporté par John Lowell dans le « New York World Telegram » qui nous en a aimablement autorisé la reproduction:

Un joli discours de fin de banquet pour un billion de dollars.

Lorsque le soir du 12 décembre 1900, 80 des plus grands financiers de la nation se réunirent dans la salle des banquets de l'University Club de la 5ème Avenue pour y fêter un homme de 38 ans, originaire de l'Ouest, aucun d'eux ne pressentait qu'il allait être le témoin de l'épisode le plus significatif de l'histoire industrielle de l'Amérique.

J. Edward Simmons et Charles Stewart Smith, encore pleins de gratitude pour l'hospitalité généreuse dont avait fait preuve à leur égard Charles

M. Schwab au cours de leur récente visite à Pittsburgh, avaient organisé
ce dîner pour introduire dans la société des banquiers de l'Est ce représentant de l'acier. Ils ne s'attendaient certes pas à le voir outrepasser
leurs conventions car ils l'avaient averti que les coeurs qui battaient sous
les chemises des New-Yorkais étaient insensibles à l'éloquence et que
s'il ne voulait pas ennuyer les Stillman, Harriman, Vanderbilt et Cie,
il ferait bien de limiter son propos à une vingtaine de minutes.

Les deux hôtes et leurs distingués invités absorbèrent presque en silence
leurs 7 ou 8 plats habituels. Peu nombreux étaient les banquiers et les
courtiers qui avaient déjà rencontré Schwab et aucun d'eux ne le connaissait bien. Cependant, avant la fin de la soirée, tous, y compris
Morgan, le détenteur de la plus grosse fortune, allaient se réveiller
et un bébé d'un billion de dollars, l'United States Steel Corporation,
allait être conçu.

Il est dommage, pour l'histoire, qu'aucun compte rendu du discours de
Schwab ne nous soit resté. Mais il prononça certainement une tirade à
sa façon, farcie de fautes de syntaxe (elle ne l'embarrassait guère),
d'épigrammes et d'esprit. Il possédait une force galvanisante qui agit
sur les invités dont la fortune globale a été estimée ce soir-là à 5 billions
de dollars. A la fin du discours de 90 minutes, l'assistance était encore
sous le charme. Morgan entraîna Schwab à l'écart et, inconfortablement
assis dans l'embrasure d'une fenêtre, ils discutèrent tous deux pendant
plus d'une heure.

La personnalité de Schwab s'imposait, mais plus captivant encore fut
le programme détaillé et clair qu'il proposa pour le développement d'un
trust de l'acier. Beaucoup d'autres personnes s'étaient efforcées d'intéresser Morgan à un trust semblable. Aucune n'y avait jamais réussi.

Le magnétisme de la finance qui, il y a une génération, attira des milliers
de petites compagnies, commençait à agir dans le domaine de l'acier, en
partie grâce aux expédients de ce jovial pirate des affaires qu'était John
Gates, qui avait créé l'American Steel and Wire Company et avec Morgan, la Federal Steel Company.

Mais à côté du gigantesque trust d'Andrew Carnegie géré par 53 associés, les autres affaires paraissaient médiocres. Même en se coalisant,
elles n'auraient pu contrer celle de Carnegie; et Morgan le savait.

Le vieil Ecossais excentrique le savait aussi. Des hauteurs splendides de
son château, il avait vu d'abord avec amusement, puis avec colère, les
petites compagnies de Morgan essayer d'empiéter sur son domaine.

Lorsque les tentatives devinrent plus audacieuses, la moutarde lui monta au nez et, en guise de représailles, il décida que pour chaque aciérie appartenant à ses rivaux, il en construirait deux. Avec Schwab comme lieutenant, il projetait d'acculer ses ennemis au pied du mur.

Dans le discours de Charles M. Schwab, Morgan vit la solution de ses problèmes et la vaste entreprise Carnegie passer sous sa tutelle, car un trust sans Carnegie, le géant, ne serait pas un trust, ce serait une tarte aux pommes sans pommes!

Charles Schwab parla de l'avenir de l'acier, d'une réorganisation plus efficace, de spécialisation, de la fermeture des aciéries peu rentables pour concentrer tous les efforts sur celles qui étaient florissantes, d'économie sur l'acheminement du minerai, d'économie dans les départements administratifs et sur les frais généraux, de mainmise sur les marchés étrangers. Mieux encore, il révéla aux financiers abasourdis, en quoi consistaient leurs erreurs: ils avaient voulu créer, s'il avait bien compris, des monopoles, hausser les prix et s'offrir de gros dividendes. Il condamna le système avec sa franchise habituelle. C'était, leur dit-il, peu politique de limiter le marché au lieu de l'élargir en fonction des besoins de la région. En baissant les prix, on créerait un marché susceptible de progresser et on trouverait de nouveaux débouchés mondiaux.

Le dîner prit fin; Morgan rentra chez lui pour réfléchir aux suggestions de Schwab; celui-ci retourna à Pittsburgh diriger l'affaire d'acier de Carnegie pendant que les autres reprenaient leurs occupations en attendant les événements qui ne tardèrent guère. Il fallut à Morgan une semaine pour donner raison à Schwab qu'il convoqua. Schwab hésita.

M. Carnegie, pensait-il, pourrait ne pas apprécier que le président de son affaire eût flirté avec l'empereur de Wall Street, une rue qu'il s'était juré de ne plus jamais emprunter. John Gates, l'intermédiaire, suggéra une entrevue à l'Hôtel Bellevue de Philadelphie, les deux hommes pouvant s'y trouver en même temps « par hasard ». Cependant, lorsque Schwab arriva, Morgan était malade et n'avait pu quitter New-York. Sur sa pressante invitation, Schwab s'y rendit.

Certains historiens de l'économie américaine ont à tort prétendu que toute l'affaire avait été montée par Andrew Carnegie, que le dîner en l'honneur de Schwab, le fameux discours, l'entretien entre Schwab et le Roi de l'Argent, tout avait été arrangé. Lorsque Schwab fut mandé pour entreprendre les négociations, il ignorait absolument si « le petit patron » comme on surnommait Carnegie, prêterait l'oreille à une offre de vente émanant de surcroît d'hommes qu'il n'aimait pas. De sa main, Schwab couvrit 6 pages de chiffres représentant les mérites, la valeur physique et financière de toutes les compagnies minières qu'il considérait importantes.

Quatre hommes étudièrent ces chiffres toute une nuit: Morgan, qui croyait fermement au droit divin de l'argent; son associé, l'aristocrate Robert Bacon, un savant et un gentleman; John W. Gates, un joueur dont Morgan ne faisait pas plus cas que d'un outil; Schwab, mieux renseigné que tout autre sur la fabrication et la vente de l'acier. Au cours de la conférence, les chiffres ne furent jamais remis en question. Dans la combinaison ne devaient entrer que les compagnies soigneusement sélectionnées.

A l'aube, Morgan attaqua le dernier point:

« Persuaderez-vous Carnegie de vendre? »

« Je peux toujours essayer » répondit Schwab.

« Si vous y arrivez, je suis votre homme, » dit Morgan.

Mais Carnegie voudrait-il vendre? Si oui, combien demanderait-il? Schwab penchait pour 320.000.000 de dollars. Exigerait-il d'être payé en titres, en actions, en obligations? En espèces? Mais qui pourrait payer en espèces un tiers de billion de dollars?

Le mois suivant, Carnegie et Schwab se retrouvèrent pour une partie de golf dans la lande givrée de Westchester, mais ils ne parlèrent affaires que le soir, confortablement installés dans la villa de Carnegie. Avec son éloquence coutumière, Schwab fit miroiter un avenir des plus tentants et les innombrables millions qui permettraient au vieil homme de satisfaire tous ses caprices.

Carnegie capitula, écrivit un chiffre sur un morceau de papier et le tendit à son interlocuteur en précisant: « Voici mon prix ».

Il s'élevait à 400.000.000 de dollars qui représentaient les 320.000.000 mentionnés par Schwab comme chiffre de base plus 80.000.000, soit l'accroissement de capital pour les deux années précédentes.

Plus tard, sur le pont d'un transatlantique, l'Ecossais dit tristement à Morgan: « Je regrette de ne pas vous avoir demandé 100.000.000 de dollars de plus. »

« Si vous les aviez exigés, vous les auriez eus » rétorqua joyeusement Morgan. La nouvelle fit du bruit. Un correspondant anglais câbla qu'à l'étranger le monde de l'acier était « épouvanté » par la gigantesque combinaison. Le président de Yale, Hadley, déclara que si les trusts n'étaient pas réglementés, le pays pouvait s'attendre à voir, dans les 25 prochaines années, un « empereur » trôner à Washington.

Le jeune Schwab, n'oublions pas qu'il n'avait que 38 ans, fut nommé président de la nouvelle société et demeura en fonction jusqu'en 1930.

La richesse commence par une pensée

L'exemple que vous venez de lire illustre parfaitement la méthode qu'utilise le désir pour se concrétiser.

Une organisation géante fut créée par l'esprit d'un seul homme. Le plan voulait que l'organisation fut alimentée par les aciéries qui lui donneraient ainsi sa stabilité financière. Ce plan était conçu par un seul homme. Sa foi, son désir, son imagination, son obstination ont été les éléments qui firent l'United States Steel Corporation. Des sondages révélèrent que la valeur des aciéries et de l'équipement mécanique acquis par l'organisation légalement reconnue augmenta de 600.000.000 de dollars par le seul fait que celle-ci était gérée par une administration centrale. En d'autres termes, l'idée de Charles M. Schwab, porté par la foi qu'il communiqua à Morgan et aux autres, rapporta approximativement 600.000.000 de dollars. Ce qui, pour une seule idée, n'est pas mal!

L'United States Steel Corporation prospéra et devint l'une des affaires les plus puissantes d'Amérique.

La richesse commence par une pensée!

L'ampleur en est fixée par la personne qui a engendré la pensée.

RÉSUMÉ:

Pour réussir, il est indispensable d'avoir la foi. Elle peut s'acquérir et s'affermir au moyen des instructions que vous donnez à votre subconscient.

Cinq règles d'or déterminent la confiance en soi; toutes sont faciles à observer. Dans les mêmes circonstances, vous pouvez vous sentir heureux ou malheureux.

Des hommes comme Lincoln et Gandhi nous montrent comment les pensées peuvent agir à la façon d'un aimant et en attirer d'autres, et comment elles peuvent unir des millions d'esprits.

Pour gagner, il faut d'abord donner.

PAUVRETÉ ET RICHESSE
SONT TOUTES DEUX FILLES
DE LA FOI

CHAPITRE 4

Troisième étape vers la richesse: l'autosuggestion

Faites travailler la partie la plus vive de votre esprit; rendez-la sensible à l'émotion et le résultat sera prodigieux.

On appelle autosuggestion toute suggestion que l'on s'adresse à soi-même et qui, par l'intermédiaire des cinq sens, atteint notre cerveau. C'est un agent de communication entre le conscient et l'inconscient.

Chargée de nos pensées dominantes, l'autosuggestion touche volontairement le subconscient et l'influence en accord avec celles-ci.

La nature a donné à l'homme le pouvoir de contrôler par ses cinq sens tout ce qui touche le subconscient. Mais l'homme ne se rend pas toujours compte qu'il peut exercer ce contrôle. Dans la majorité des cas, il ne l'exerce pas, ce qui explique pourquoi tant de gens restent pauvres toute leur vie.

Rappelez-vous que le subconscient est pareil à un jardin fertile où les mauvaises herbes poussent à foison si l'on néglige d'y ensemencer quoi que ce soit. Par l'autosuggestion un individu peut nourrir son subconscient de pensées constructives ou, au contraire, permettre à des pensées destructrices de s'épanouir dans le riche jardin de son esprit.

Pour agir sur votre subconscient, pensez avec émotion

La dernière des six instructions qui figurent au chapitre sur le désir du bien-être financier, vous incite à lire à haute voix, deux fois par jour, l'expression écrite de ce désir et à imaginer que vous êtes déjà en possession de votre richesse. En suivant ces instructions, vous communiquerez à votre subconscient l'objet de votre pensée et la foi qui l'anime. En renouvelant ce processus, vous établirez une sorte de routine qui appuiera la concrétisation de votre désir.

Sachez qu'il ne suffit pas de lire à haute voix le texte qui l'exprime.

Semblabe exercice demeurerait lettre-morte. Il faut à la fois *lire et ressentir.* Votre subconscient ne peut réagir qu'animé par des pensées empreintes d'émotion.

Cette condition est de toute première importance et justifie nos nombreuses redites.

De plus, vous devez *croire* à ce que vous dites.

La première fois que vous le tenterez il n'est pas sûr que vous contrôlerez et dirigerez vos émotions. Ne vous découragez pas. C'est avec la persévérance que vous acquerrez l'habileté. Vous ne pouvez, à meilleur compte, réussir à influencer votre subconscient.

Vous seul aurez à décider si le but que vous poursuivez vaut le prix que vous devrez payer.

Si vous savez, jusqu'à ce qu'il devienne une rayonnante obsession, vous concentrer sur un désir, il est probable que vous saurez utiliser l'autosuggestion.

Regardez-vous faire fortune

La concentration vous sera très utile lorsque vous appliquerez les règles du deuxième chapitre.

Voici quelques éclaircissements à cet égard:

Lorsque vous aurez fixé le montant exact de la somme dont vous avez besoin, concentrez-vous sur elle, les yeux fermés. Voyez vraiment ce que matériellement elle représente et observez les instructions du chapitre qui traite de la foi en vous sentant déjà en possession de votre bien.

Le subconscient, et c'est là un fait des plus significatifs, accepte tout ordre qui lui est donné et que souvent il faut lui répéter. Influencez-le. Faites-lui croire, parce que vous y croyez consciemment, qu'il est de son devoir de dresser les plans d'une action qui vous permettra, le plus tôt possible, d'entrer en possession de votre bien...

L'inspiration vous guidera

Ne vous attendez pas à recevoir le message du subconscient tel un plan précis de tractations qu'il vous appartiendra de réaliser, mais gardez l'esprit en alerte sans crainte ou doute sous-jacent. Restez éveillé et satisfait comme si vous étiez en possession de votre bien. Le plan du subconscient vous atteindra probablement sous forme d'« inspiration ». Sachez la reconnaître, emparez-vous-en et appliquez-la.

Lorsque vous décidez de réaliser une idée, celle d'influencer votre subconscient par autosuggestion ou celle que vous dicte le subconscient, n'attendez pas et, dans une certaine mesure, soustrayez-la au raisonnement systématique.

Alors que, les yeux fermés, vous « visualisez » l'argent que vous désirez, imaginez que, dans le même temps, *vous rendez service à autrui et qu'il n'y a pas simple acquisition ou avantage personnel, mais échange. Ceci est de toute première importance.*

Votre subconscient va travailler...

Les instructions qui vous ont été données au second chapitre vont maintenant être résumées et amalgamées aux principes qui font l'objet de ce chapitre-ci:

1. Le soir dans votre lit ou retiré dans un endroit tranquille où vous ne serez ni distrait ni dérangé, fermez les yeux et répétez à haute voix (de façon à entendre vos propres mots) la déclaration que vous avez écrite et qui fixe le montant de la somme que vous désirez acquérir, le délai que vous vous êtes fixé et la description des services ou des biens que vous donnerez en échange. En même temps, imaginez-vous déjà en possession de l'argent.

   Exemple: vous décidez que dans 5 ans, le premier janvier 19... vous aurez en votre possession 50.000 francs et qu'en échange, vous avez l'intention de travailler comme vendeur. Votre déclaration écrite pourrait être celle-ci:

   « Le premier janvier 19... j'aurai en ma possession 50.000 francs accumulés peu à peu en 5 ans.

   « En échange, je ferai tout mon possible pour rendre de bons services chez... comme vendeur. (Décrivez exactement le service que vous allez rendre ou la marchandise que vous vendrez.)

   « Je crois fermement que j'aurai cet argent. Ma conviction est si forte que je peux déjà le voir devant moi; je peux le toucher. Il attend que je le prenne. Pour l'instant, je suis dans l'expectative d'un plan qui me permettra de l'acquérir et dès que mon subconscient me l'aura donné, je l'appliquerai ».

2. Répétez ce programme nuit et jour jusqu'à ce que vous puissiez voir (dans votre imagination) l'argent que vous désirez ardemment.

3. Placez-en une copie là où elle sera bien visible et jusqu'à ce que vous la sachiez par coeur, lisez-la avant de vous endormir et en vous réveillant.

Souvenez-vous que vous appliquez ainsi le principe d'autosuggestion dans le but de donner des ordres à votre subconscient. Rappelez-vous aussi que celui-ci n'agira que si vos instructions sont empreintes d'émotion. La foi est la plus forte et la plus productive des émotions.

Peut-être au début trouverez-vous ces instructions difficiles à suivre et abstraites. Suivez-les quand même, ne vous laissez pas troubler. Le temps viendra où, si vous faites ce que l'on vous a conseillé de faire, *en esprit et en actes*, la puissance sera à votre portée.

Pourquoi vous êtes maître de votre destin

Les idées nouvelles entraînent toujours un certain scepticisme. Mais si vous suivez nos instructions, votre scepticisme cèdera vite la place à une foi absolue.

De nombreux philosophes ont constaté que l'homme est le maître de son destin *terrestre*, mais la plupart n'ont pas pu nous dire *pourquoi* il en est ainsi. *L'homme peut devenir son maître et celui de tout ce qui l'entoure, parce qu'il possède le pouvoir d'influencer son propre subconscient.*

La concrétisation du désir nécessite l'autosuggestion. Elle est l'agent par lequel on peut atteindre et influencer le subconscient. Ne la confondez pas avec les simples outils qui permettent son application et demeurez conscient du rôle qu'elle joue dans la méthode d'enrichissement que préconise ce livre.

Après avoir terminé la lecture de cet ouvrage, reprenez l'étude de ce chapitre.

Relisez-le à haute voix tous les soirs jusqu'à ce que vous soyez pleinement convaincu de l'importance de l'autosuggestion et de son pouvoir créateur à votre égard.

RÉSUMÉ:

Vous avez un sixième sens, mais vous n'avez besoin que de cinq sens pour contrôler les pensées qui atteignent votre subconscient. Lorsque vous saurez exercer ce contrôle, votre subconscient vous mènera, si vous le désirez, à la prospérité.

Fixez une somme précise et qu'elle soit assez élevée! Fixez également un délai pour l'obtenir.

Lorsque votre subconscient vous donnera un plan, mettez-le aussitôt en application. L'inspiration est précieuse et doit être utilisée immédiatement. « Attendre le bon moment » est le meilleur moyen d'échouer.

Trois procédés très simples vous permettront de vous servir de l'autosuggestion. Suivez nos instructions et vous serez le maître de votre destin.

TOUT MALHEUR PORTE
EN LUI LE GERME
D'UN GRAND BONHEUR

CHAPITRE 5

Quatrième étape vers la richesse: la spécialisation

C'est vous qui faites votre propre instruction et vous pouvez acquérir les connaissances qui vous mèneront là où vous voulez aller.

Si vous suivez le simple plan qui vous est donné, vous n'aurez pas à débuter médiocrement.

Il y a deux sortes de culture: la culture générale et la spécialisation. La culture générale, qu'elle soit vaste ou pauvre, est de peu d'utilité dans la course à l'argent. Les Universités enseignent toutes les disciplines connues. *La plupart des professeurs ont peu d'argent.* Leur but est de transmettre des connaissances et non *la manière de les utiliser.*

L'instruction n'attire l'argent que si elle est intelligemment dirigée dans ce sens au moyen de *plans d'action* simples à mettre en pratique. Des millions de gens ne l'ont pas compris. Pour eux, « l'instruction est la porte du pouvoir ». Il n'en est rien! Elle peut être une force, en effet, mais à condition d'être organisée selon des plans d'action précis et dirigée vers un but défini.

Le point faible de tout système éducatif réside peut-être dans l'impossibilité où sont les écoles d'apprendre à leurs élèves l'organisation et l'utilisation du savoir.

C'est une erreur de croire qu'Henry Ford, parce qu'il reçut une formation scolaire limitée, ne fut pas un homme instruit.

Être instruit ne veut pas forcément dire posséder une vaste culture. Un homme instruit est celui qui a développé des facultés de telle sorte qu'il peut, sans violer les droits d'autrui, obtenir ce qu'il veut.

Assez « ignorant » pour faire fortune

Pendant la première guerre mondiale, Henry Ford fut traité de « pacifiste ignorant » par un journal de Chicago qu'il attaqua en diffamation.

Lorsque l'affaire passa en jugement, les avocats du journal essayèrent de prouver qu'il était un esprit inculte, aussi, pour le mettre en difficulté, lui posèrent-ils de nombreuses questions sur des sujets variés et inattendus, par exemple: « Qui était Benedict Arnold? » ou « Combien de soldats les Anglais envoyèrent-ils en Amérique pour mater la rébellion de 1776? » C'est alors que Ford répliqua: « Je ne connais pas le nombre des soldats anglais qui vinrent en corps expéditionnaire, mais j'ai entendu dire qu'ils étaient plus nombreux que ceux qui retournèrent chez eux. » Finalement, excédé par ces « colles », il lança à la partie adverse: « Permettez-moi de vous rappeler que j'ai dans mon bureau une rangée de boutons électriques. Il me suffit d'appuyer sur l'un d'eux pour appeler à l'aide l'homme qui répondra à n'importe quelle question relative à l'affaire dont je m'occupe personnellement et à laquelle je consacre tous mes efforts. Maintenant, voulez-vous être assez aimable de m'expliquer pourquoi, dans le seul but de répondre à vos questions, je devrais avoir la cervelle farcie de culture générale alors que je suis entouré de collaborateurs qui suppléent à toute lacune ou défaillance de ma part? »

La logique de cette riposte désarçonna l'avocat et le public de l'audience reconnut que le propos de Ford était celui d'un homme intelligent et instruit.

L'homme qui sait où trouver les connaissances dont il a besoin et comment les utiliser selon des plans d'action, celui-là est un homme instruit. Grâce à un « cerveau collectif », Henry Ford avait à sa disposition les connaissances indispensables pour faire de lui un des hommes les plus riches d'Amérique. *Il n'était pas nécessaire* qu'il les rassemblât dans sa propre tête.

Il est facile de se cultiver

Avant de pouvoir transformer votre désir en son équivalent monétaire, vous aurez probablement besoin de connaissances spécialisées plus approfondies que les vôtres. Dans ce cas, utilisez un « cerveau collectif ». L'accumulation de grandes quantités d'argent exige une connaissance spécialisée qui ne doit pas nécessairement être monopolisée par celui qui désire faire fortune.

Le paragraphe qui précède devrait encourager ceux qui ne possèdent pas ces connaissances. Beaucoup de gens traînent toute leur vie un complexe d'infériorité dû à leur manque d'instruction. Or, celui qui est capable d'organiser et de diriger un « cerveau collectif » réunissant les connaissances nécessaires à l'accumulation des richesses, est aussi instruit que n'importe quel membre de ce « cerveau ».

Thomas A. Edison n'alla à l'école que trois mois. Pourtant il ne manquait pas d'instruction et il ne mourut pas dans la misère.

Henry Ford ne fut écolier que 6 ans, ce qui ne l'empêcha pas de réussir parfaitement sur le plan financier.

Les sources de connaissances

Décidez d'abord d'une spécialisation et de ce que vous allez en faire. En principe, le but qui vous tient à coeur, celui vers lequel tendent tous vos efforts, la déterminera sans erreur possible.

Cette question résolue, cherchez les sources de cette spécialisation. Voici les plus importantes:

1. Votre instruction et votre propre expérience.

2. Grâce à leur coopération (« cerveau collectif ») l'instruction et l'expérience des autres.

3. Les collèges et Universités.

4. Les bibliothèques municipales (livres et revues dans lesquels on peut trouver, condensé, le savoir de notre civilisation).

5. Des cours spéciaux (écoles du soir et cours par correspondance).

Lorsque de nouvelles connaissances sont acquises, il faut les ordonner et les utiliser dans un but précis, selon des plans faciles à suivre. Les connaissances n'ont de valeur que dans leur utilisation.

Si vous décidez de suivre un enseignement complémentaire, sachez d'abord dans quel but vous désirez l'acquérir et où vous le pourrez.

Les hommes qui réussissent, et cela dans toutes les professions, ne cessent jamais d'enrichir leurs connaissances spécialisées. Ceux qui échouent font souvent l'erreur de croire que le temps d'apprendre se termine avec l'école. En vérité, l'école ne fait qu'essayer de nous apprendre comment nous pouvons acquérir des connaissances pratiques.

A notre époque, *la spécialisation* est très recherchée, comme l'écrivit Robert P. Moore, ancien directeur du bureau de placement de l'Université de Columbia, dans un article intitulé:

On demande des spécialistes:

Sont surtout recherchés les candidats qui se sont spécialisés dans une branche, les licenciés en sciences économiques qui ont fait de la comptabilité et de la statistique, les ingénieurs, les journalistes, les architectes, les chimistes ainsi que les cadres administratifs et autres hommes d'action.

Celui qui s'est montré très actif à l'Université, qui s'entend avec tout le monde et qui a assumé un travail pendant ses études, possède une longueur d'avance sur l'étudiant strictement académique. Il recevra plusieurs offres motivées par ses nombreuses qualifications et pourra faire son choix.

Le directeur d'une des plus grandes compagnies industrielles écrivait à M. Moore au sujet des débouchés qui s'offrent aux étudiants nouvellement diplômés: « Ce qui nous intéresse au premier chef, c'est de trouver des jeunes qui pourront devenir plus tard des cadres de première force. C'est pourquoi, à une formation purement académique, nous préférons l'intelligence et une forte personnalité. »

Pourquoi pas un apprentissage?

M. Moore préconisa, pendant les vacances d'été, un « apprentissage » dans les bureaux, les magasins, les usines et déclara qu'après les deux ou trois premières années d'Université, un étudiant devrait être à même de choisir définitivement une carrière et de stopper ses études s'il s'est laissé entraîner, sans but précis, dans une formation académique non spécialisée. « Les Universités doivent pouvoir faire face aux demandes des spécialistes de plus en plus nombreux dans tous les domaines » dit-il, insistant sur le fait que les institutions qui dispensent l'enseignement devraient aider davantage les étudiants à découvrir leur voie.

Pour acquérir une spécialisation, les cours du soir sont, dans les grandes villes, des moyens d'enseignement sûrs et pratiques. Les cours par correspondance ont un gros avantage: ils nous atteignent partout et nous pouvons y travailler tranquillement chez nous à nos moments perdus.

L'étude et l'autodiscipline

Généralement, ce qui est obtenu sans effort et sans bourse délier est peu apprécié et même discrédité. Ne serait-ce pas la raison pour laquelle nous ne savons pas profiter de la merveilleuse opportunité que nous offre l'école. L'autodiscipline post-scolaire qui découle d'un programme défini spécialisé supplée, dans une certaine mesure, à l'occasion que nous avons négligée lorsque les études ne coûtaient pas un sou. Les cours par correspondance sont des entreprises commerciales parfaitement organisées. La cotisation est si peu élevée qu'elles sont forcées d'en exiger le paiement immédiat. Contraint de s'exécuter, l'étudiant sera moins tenté d'abandonner le cours prématurément. *L'école par correspondance entraîne aux décisions rapides et définitives et donne l'habitude de terminer ce qu'on a commencé.*

C'est du moins ce que m'a appris mon expérience personnelle qui remonte à 45 ans. Je m'étais inscrit à un cours de publicité. Après 8 ou 10 leçons, je m'en désintéressai, mais l'école continua à m'envoyer les factures, exigeant leur paiement. Je décidai, puisque je devais payer l'ensemble des cours (ce à quoi je m'étais engagé), que je ferais tout aussi bien de les étudier et d'en avoir pour mon argent. Il me sembla à cette époque que le système de paiement était trop bien organisé! Je compris plus tard qu'il faisait partie de l'enseignement: forcé de payer, je repris mes études jusqu'à la fin des cours. Je devais m'en souvenir et bénir la méthode car c'est à elle que je dus mes gains de publiciste.

Il n'est jamais trop tard pour apprendre

L'être humain a une particularité étrange: il ne donne de valeur qu'à ce qui coûte. Les écoles ou les bibliothèques municipales n'impressionnent personne *parce qu'elles sont gratuites.* C'est la raison pour laquelle la plupart des gens se croient obligés d'acquérir un enseignement complémentaire lorsqu'ils sortent de l'école et commencent à travailler. Les employeurs apprécient davantage leurs employés s'ils suivent des cours par correspondance, car l'expérience démontre que celui qui est capable de consacrer une partie de ses loisirs à l'étude a en lui l'étoffe d'un chef. Les gens ont une faiblesse à laquelle on ne peut remédier. C'est le manque d'ambition. Les salariés qui travaillent pendant leurs loisirs demeurent rarement à des postes subalternes. Ils grimpent peu à peu, renversant tous les obstacles jusqu'à ce qu'ils obtiennent l'amitié de ceux qui leur donneront leur chance.

La méthode des cours par correspondance convient spécialement aux employés qui, après l'école, doivent acquérir des connaissances spécialisées et ne peuvent se permettre de perdre du temps en y retournant.

Stuart Austin Wier apprit tout seul son métier d'ingénieur des travaux publics et resta sur la brèche jusqu'à ce que la crise limitât ses activités et ne lui permît plus de gagner sa vie. Après inventaire de ses possibilités, il décida de changer de métier et choisit le Droit. Il retourna à l'Université, y suivit des cours spéciaux, obtint sa licence et, rapidement, se fit une bonne clientèle.

Pour parer aux remarques de certains ou aux excuses d'autres qui diront: « Moi, je ne peux pas retourner à l'école, j'ai une famille à nourrir » ou « Moi, je suis trop vieux », j'ajouterai que M. Wier avait plus de 40 ans et était marié lorsqu'il retourna à la Faculté. De plus, en choisissant avec soin les cours hautement spécialisés des meilleurs Facultés de Droit, M. Wier fit en deux ans le travail que la majorité des étudiants font en quatre.

Une comptabilité ambulante

Prenons un autre exemple. Un vendeur qui travaillait chez un grossiste se trouva brusquement sans emploi. Ayant des notions de comptabilité, il suivit un cours pour augmenter ses connaissances et se mettre au courant des dernières méthodes et des nouvelles machines. Puis il offrit ses services au grossiste chez qui il avait travaillé lui proposant, ainsi qu'à plus d'une centaine de petits commerçants, de tenir ses livres pour un salaire mensuel fixe. L'idée était si bonne qu'il fut bientôt obligé d'utiliser comme bureau une petite camionnette de livraison qu'il équipa de machines à calculer modernes. Il possède aujourd'hui une « armada » de ces bureaux ambulants où de nombreux employés sont à son service.

Des connaissances spécialisées et son imagination lui ont permis de monter une affaire florissante, unique en son genre. L'an dernier, il paya un impôt sur le revenu dix fois plus élevé que celui du commerçant qui l'avait employé.

A l'origine de cette bonne affaire: une idée.

En voici une autre qui peut rapporter davantage.

Elle m'a été suggérée par la conduite de ce vendeur qui n'hésita pas à lâcher son métier pour repartir à zéro. Lorsqu'il conçut le plan qui devait lui permettre d'échapper au chômage, sa première réflexion fut: « L'idée me plaît, mais comment l'exploiter? » En d'autres termes, il avait peur de ne pas savoir utiliser, *quand il les aurait acquises*, ses connaissances en comptabilité.

Ce qui l'amena à un autre problème résolu de la façon suivante: avec l'aide d'une jeune femme dactylographe, il écrivit un ouvrage très intéressant et facile à lire sur les avantages de son nouveau système de comptabilité. Les pages étaient collées dans un album qui présentait si bien le but de sa nouvelle entreprise qu'il reçut bientôt plus d'offres qu'il ne pouvait en contenter.

La naissance d'une nouvelle profession

Des milliers de personnes souhaiteraient les services d'un spécialiste qui ferait de leur curriculum vitae un dossier attrayant et déterminant pour d'éventuels employeurs.

Une femme en prit conscience. Elle créa une nouvelle profession, pour aider dans leur recherche d'un emploi les gens qui n'ont à offrir que leurs propres services. Encouragée par un succès immédiat, elle s'attaqua à la solution d'un problème concernant son fils qui, ses études terminées, avait été incapable de trouver quelqu'un qui voulut bien se l'attacher. Le plan qu'elle imagina, puis exécuta, mérite d'être mentionné.

Elle fit une monographie d'une cinquantaine de pages qui résumait l'histoire de son rejeton, insistant sur la qualité de ses études, la richesse de ses expériences personnelles et rassemblant en outre quantité d'informations qu'il est inutile de rapporter ici. Suivait une description minutieuse de l'emploi qu'il sollicitait et de l'activité qu'il y dépenserait.

La préparation de ce travail demanda plusieurs semaines. Pendant ce temps le jeune homme, toujours dirigé par sa mère, fréquentait la bibliothèque municipale en quête d'une documentation sur la manière la plus efficace de faire rémunérer ses services. Il rendit visite aux concurrents de l'employeur qu'il souhaitait et obtint ainsi des renseignements précieux sur leurs méthodes de travail.

La monographie achevée, on pouvait y trouver plus d'une demi douzaine d'excellentes suggestions à l'usage et au bénéfice du futur employeur.

Il s'épargna dix ans de filière

— « Pourquoi se donner tant de mal pour trouver une situation? »

— « Parce que ce n'est jamais perdre son temps que de faire une chose à fond. »

Le travail de sa mère et les prospections auxquelles il se livra aidèrent ce jeune homme à obtenir la situation qu'il désirait et ce, dès la première entrevue et avec le salaire qu'il avait lui-même fixé. De plus, et ceci est très important, il n'eut pas à suivre la filière. D'emblée on le gratifia d'une place et d'un traitement de cadre.

L'idée de commencer au bas de l'échelle pour s'élever peu à peu semble au premier abord tout à fait logique. Cependant trop de personnes n'arrivent jamais à s'élever assez haut pour se faire remarquer et avoir la possibilité de tenter leur chance. Cela les décourage et tue en elles toute ambition. Finalement elles acceptent leur sort et font de leur travail une routine journalière si puissante qu'elles ne peuvent plus s'en affranchir.

Voilà pourquoi il vaut mieux débuter en ayant déjà quelques longueurs d'avance. On prend ainsi l'habitude de regarder autour de soi, d'observer comment font les autres pour obtenir de l'avancement, de guetter sa chance et de la saisir sans l'ombre d'une hésitation.

Notre monde est fait pour les vainqueurs

Dan Halpin est un magnifique exemple de ce que j'essaie de démontrer. Etudiant à l'Université, il avait été choisi comme capitaine de la célèbre équipe de football Notre-Dame, championne nationale en 1930 sous la direction du regretté Knute Rocke.

Halpin termina ses études au moment où la crise réduisait tout le monde au chômage. Aussi après avoir tâté de la Bourse et du Cinéma, sauta-t-il sur la première situation qui lui parut d'avenir: la vente des appareils électriques pour sourds. Il était payé à la commission.

Il travailla deux ans sans plaisir. Il n'aurait probablement jamais eu d'avancement s'il n'avait voulu vaincre son insatisfaction. Pour ce faire, il visa le poste d'assistant-directeur des ventes et l'obtint. Bien placé pour saisir l'occasion de s'élever davantage, il réalisa un tel chiffre de ventes qu'il ne passa pas inaperçu de A.M. Andrews, président du conseil d'administration de la Dictograph Products Company, qui voulut connaître ce champion d'une firme concurrente. A l'issue de leur entrevue, Halpin devenait à la Dictograph Products le directeur commerciel d'un important département. Pour le mettre à l'épreuve, Andrews partit pour la

Floride, le laissant se débrouiller dans ses nouvelles fonctions. Fort des mots de Knute Rocke: « Le monde a besoin de vainqueurs et n'a que faire des vaincus », Halpin se donna tellement à son travail qu'il fut élu vice-président de la compagnie, situation à laquelle beaucoup d'hommes seraient fiers de prétendre après 10 ans de loyaux services. Halpin, lui, l'eut en six mois!

Je voudrais surtout insister sur le fait qu'atteindre des postes très élevés ou rester au bas de l'échelle, dépend de circonstances que nous pouvons contrôler si nous le désirons et que le succès et l'échec sont tous deux, pour une très large part, les résultats de *l'habitude*! Je suis persuadé que l'étroite association de Dan Halpin avec la meilleure équipe de football que l'Amérique ait jamais connue, a implanté dans son cerveau ce désir de se surpasser qui rendit l'équipe de Notre-Dame célèbre dans le monde entier. La foule adule le héros, elle aime en lui le vainqueur.

Vous pouvez vendre vos idées

Le « guide » que cette spécialiste écrivit à l'intention de son fils eut tant de succès que de tous les coins du pays on lui en commanda à l'usage de ceux qui désirent améliorer leur situation.

Cela laisserait-il supposer que sa méthode avait pour but de favoriser les employés aux dépens de leurs employeurs? Non, bien sûr, car ces derniers paieraient davantage leurs employés mais pour une rentabilité meilleure. Elle servait donc les intérêts des deux parties, c'est pourquoi la méthode fut aussi populaire que la précédente, destinée à ceux qui cherchent un emploi.

La réussite de cette personne était due entièrement à une bonne idée. Or, derrière toutes les bonnes idées se cachent des connaissances spécialisées. Celles-ci sont faciles à acquérir, les écoles qui les dispensent étant multiples. Mais les bonnes idées, elles, ne courent pas les rues. Aussi, celui qui en a à vendre, est-il assuré de faire fortune.

Il n'y a pas de prix fixe pour les bonnes idées, et si vous avez assez d'imagination, la lecture de ce chapitre peut vous aider à en trouver.

RÉSUMÉ:

L'instruction *n'est pas une force en elle-même*. Il faut la canaliser vers un but précis au moyen de plans d'action définis.

Sachez profiter de l'expérience des autres. Peu cultivé, Henry Ford sut faire fortune.

Utilisez une ou plusieurs des sources d'enseignement qui sont évoquées dans ce chapitre. Il est facile de se cultiver.

Si vous n'êtes pas capable de vendre un produit, vous pouvez vendre à très bon prix vos services ou vos idées. Des hommes de plus de 60 ans y ont parfaitement réussi. Peut-être, à votre tour, éviterez-vous 10 ans de filière.

L'INSTRUCTION OUVRE MILLE CHEMINS
MENANT À LA RICHESSE;
ENCORE FAUT-IL
TROUVER LE VÔTRE

CHAPITRE 6

Cinquième étape vers la richesse: l'imagination

Tous les « coups de chance » dont vous bénéficierez dans la vie existent déjà dans votre imagination.

L'imagination est l'atelier de votre esprit qui convertit votre énergie mentale en actions d'éclat et en richesses.

L'imagination est véritablement l'atelier où s'élaborent tous les plans de l'homme. Le désir est formé, sculpté, alimenté par les facultés imaginatives de l'esprit.

On dit volontiers que l'homme peut créer tout ce que son imagination lui suggère.

Ainsi, au cours de ces cinquante dernières années a-t-il découvert et maîtrisé plus de forces naturelles que pendant toute l'histoire de l'humanité. Il a conquis le ciel. Il a mesuré la distance qui nous sépare du soleil, déterminé ses composants. Il voyage plus vite que le son. Cependant, il a tout juste découvert son imagination et, loin d'en exploiter toutes les ressources, il s'en sert encore de façon élémentaire.

L'imagination synthétique et l'imagination créatrice

Je définirai ainsi les deux formes de notre imagination: *l'imagination synthétique*: elle nous permet de maquiller en de nouvelles combinaisons les vieux concepts, les vieilles idées et les vieux plans. *Elle ne crée pas*. Elle s'appuie sur l'expérience, l'instruction et l'observation. C'est à elle que fait appel l'inventeur. Quand elle ne parvient pas à résoudre son problème, il est obligé de recourir à son génie créateur. *L'imagination créatrice*: grâce à elle, l'esprit de l'homme ne connaît pas de limites. Nous lui devons nos « inspirations », nos idées neuves et c'est par son intermédiaire que nous communiquons avec le subconscient d'autrui. L'imagination créatrice travaille automatiquement tel que nous le décrivons dans les pages suivantes. Elle ne fonctionne que lorsque le conscient travaille très rapidement, par exemple lorsqu'il est stimulé par l'émotion *d'un désir ardent.*

Plus cette faculté est utilisée, plus elle reste vive.

Les grands hommes de l'industrie, des affaires, de la finance et les grands artistes, musiciens, poètes, écrivains sont devenus célèbres parce qu'ils ont mis à contribution leur imagination créatrice.

Les deux formes d'imagination se développent à l'usage comme n'importe quel muscle sous l'effet d'une gymnastique appropriée.

Le désir n'est qu'une pensée. Il est nébuleux et éphémère, abstrait et sans valeur jusqu'à ce qu'il soit transformé en son équivalent physique.

Bien que l'imagination synthétique soit celle que l'on utilise le plus couramment dans la concrétisation du désir, il ne faut pas oublier que très souvent les circonstances et la situation exigent que l'on se serve de l'imagination créatrice.

Stimulez votre imagination

Dans l'inaction l'imagination s'appauvrit. En la faisant travailler, on la rend plus vive et on la développe. Elle ne meurt jamais, mais peut rester en veilleuse chez celui qui ne s'en sert pas.

En premier, occupons-nous de l'imagination synthétique et de son développement puisque c'est elle que vous utiliserez le plus souvent en concrétisant votre désir en argent. Cette transformation requiert un ou plusieurs plans qui doivent être, plus particulièrement, élaborés à l'aide de cette imagination.

Lisez tout le livre, puis revenez à ce chapitre et commencez immédiatement à faire travailler votre imagination afin qu'elle vous bâtisse un ou plusieurs plans qui transformeront votre désir en espèces sonnantes et trébuchantes.

Dans presque tous les chapitres, vous relèverez des instructions qui vous permettront de concevoir des plans. Suivez celles qui conviennent le mieux à vos besoins et, si ce n'est déjà fait, résumez votre plan par écrit. Ainsi, vous donnerez une forme concrète à votre désir intangible.

Relisez la phrase précédente à haute voix, très lentement et, en le faisant, souvenez-vous qu'au moment où vous êtes capable d'exprimer par écrit votre désir et d'exposer les plans que vous avez imaginés pour le concrétiser, vous avez fait le premier pas vers la fortune.

La nature nous livre le secret de la fortune

Notre monde actuel et les êtres qui le peuplent sont le résultat d'une lente évolution au cours de laquelle des particules microscopiques de matière se sont groupées dans un ordre parfait.

En outre, et ceci est d'une importance primordiale, cette terre, les cellules qui composent notre corps et chaque atome de matière *ne furent au début qu'une forme intangible d'énergie.*

Le désir est un élan de la pensée. Les élans de la pensée sont des formes d'énergie. Lorsqu'avec votre désir vous commencez à accumuler de l'argent, vous utilisez le même processus que la nature en créant la terre et chaque forme matérielle de l'univers.

Vous pouvez amasser une fortune à l'aide de lois immuables. Mais il faut d'abord apprendre à les connaître et à les utiliser. Par la répétition et la description de certains principes vus sous tous leurs angles, l'auteur espère vous révéler le secret des grandes fortunes. Aussi étrange et paradoxal que cela puisse paraître, ce secret n'en est pas un: les mille et une merveilles de la nature l'affichent, sur les étoiles, les planètes, les éléments qui nous entourent, chaque brin d'herbe et toute forme de vie qui nous est perceptible.

Les paragraphes suivants vous expliqueront l'imagination. Même si vous n'en saisissez pas tout de suite l'essence, ne cessez cependant pas de vous en imprégner en lisant ce livre au moins *trois fois.* Alors, parvenu à ce point de votre étude, vous ne voudrez plus l'arrêter.

L'idée est le point de départ de toute fortune

L'idée est le point de départ de toute fortune. C'est un produit de l'imagination. Dans l'espoir qu'à votre tour vous en tirerez profit, examinons quelques idées célèbres qui furent à l'origine d'immenses fortunes.

Il manquait un ingrédient

Il y a une cinquantaine d'années, un vieux médecin de campagne se rendit à la ville. Arrivé devant le drugstore, il attacha son cheval, puis, par la porte de derrière, il se glissa silencieusement dans le magasin où, à voix basse, il parla au jeune employé.

Pendant plus d'une heure, ils discutèrent derrière le comptoir, puis le docteur sortit, se dirigea vers sa carriole, en retira une grande bouilloire démodée, un long morceau de bois destiné à en remuer le contenu et les remit à l'employé qui examina la bouilloire, la renifla, tira de sa poche intérieure un rouleau de billets de banque, toutes ses économies, et le tendit au vieil homme. Le rouleau était de 500 dollars.

A l'acquéreur, le médecin glissa une petite feuille de papier sur laquelle était inscrite une formule secrète. Ni l'un ni l'autre ne pouvaient se douter que des fortunes fabuleuses allaient sortir de cette vieille bouilloire.

Le médecin était enchanté de sa vente. L'employé prenait un gros risque en décidant de jouer ainsi toutes ses économies. Jamais il n'aurait pu supposer que son investissement lui vaudrait des ruissellements d'or et que la bouilloire se transformerait en une super-lampe d'Aladin!

Ce que le jeune homme *cherchait avant tout*, c'était une idée.

La bouilloire, le morceau de bois et le message secret n'étaient qu'accessoires. Ce ne fut que plus tard, quand le nouveau propriétaire eut l'idée d'ajouter aux instructions secrètes un ingrédient dont le médecin ignorait tout, que l'ensemble prit toute sa valeur.

Essayez de découvrir quel est cet ingrédient, qui fit déborder l'or de la bouilloire et voyons ensemble les fortunes immenses qu'une idée devait engendrer.

Métamorphosée, la vieille bouilloire est actuellement l'une des plus grandes consommatrices de sucre, fournissant ainsi à des milliers d'hommes et de femmes du travail dans la culture de la canne à sucre, les raffineries et le marché du sucre.

Elle remplit annuellement des millions de bouteilles, procurant du travail aux verriers.

Elle utilise dans le monde entier une armée d'employés, de secrétaires, de rédacteurs et de publicistes. Elle a valu renommée et fortune aux artistes qui ont créé ses affiches.

Elle a transformé une petite ville du sud en une grande cité où toutes les affaires sont les siennes, et où pratiquement tous les habitants en vivent.

L'influence d'une idée s'étend maintenant à tous les pays du monde qu'elle ne cesse d'enrichir.

L'or qui provient de cette bouilloire a construit et financé l'une des facultés les plus importantes du sud où des milliers de jeunes gens reçoivent l'enseignement qui prépare au succès.

Si cet or pouvait parler, il conterait des histoires passionnantes dans toutes les langues.

Qui que vous soyez, où que vous viviez, quoi que vous fassiez, souvenez-vous dorénavant, chaque fois que vous verrez le mot « Coca-Cola », que ce vaste et riche empire est né d'une seule idée et que le mystérieux ingrédient que l'employé, Asa Candler, ajouta à la formule secrète était *l'imagination!*

Arrêtez votre lecture et réfléchissez-y un instant.

Rappelez-vous ceci: par étapes vers la richesse, nous entendons les moyens qui y conduisent. Vous trouverez dans ce livre ceux qui déterminèrent le succès du Coca-Cola. Sa popularité s'affirme dans les villages et les villes du monde entier. Or, sachez que n'importe laquelle de vos idées, si elle est *valable et percutante*, peut vous rendre deux fois plus riche que le producteur de cette boisson mondialement rafraîchissante.

Une semaine pour toucher un million de dollars

L'histoire qui suit m'a été racontée par ce cher ecclésiastique feu Frank W. Gunsaulus qui débuta à Chicago dans sa carrière de prédicateur. Professeur à l'Université, il se rendit compte des nombreuses lacunes de notre système d'enseignement, lacunes qu'il pensait combler en devenant recteur d'une faculté.

Il décida que la meilleure façon d'atteindre son but était d'en créer une où il ne serait pas gêné par les méthodes traditionnelles.

Pour mener à bien son projet, il lui fallait un million de dollars! Où les trouver? Cette question hantait l'esprit du jeune prédicateur qui ne pouvait y répondre.

Il s'endormait et se réveillait avec elle. Elle le suivait partout où il allait. Il la tourna et la retourna dans sa tête jusqu'à ce qu'elle devînt une *obsession dévorante*.

Philosophe en même temps que prédicateur, le Dr. Gunsaulus savait qu'*un but bien défini* est le point de départ de toute chose, mais il ne voyait pas du tout comment il pourrait se procurer un million de dollars. L'issue la plus classique aurait été l'abandon. Il se serait dit: « Mon idée est bonne, mais je ne peux rien en faire, car jamais je ne trouverai le million qu'il me faut ». C'est ainsi qu'auraient agi la plupart des gens. Ce qu'il dit et ce qu'il fit sont deux choses si importantes que je lui laisse le soin de les rapporter:

« Un samedi après-midi, j'étais assis dans ma chambre, réfléchissant une fois de plus au moyen d'obtenir l'argent dont j'avais besoin. J'y réfléchissais depuis deux ans, mais jusqu'ici *c'est tout ce que j'avais pu faire!*

Je décidai d'avoir ce million avant une semaine. Comment? Je ne le savais pas. L'important était d'avoir pris cette *décision* et fixé un délai; et dès que je l'eus fait, je fus envahi par un nouveau et délicieux sentiment de confiance. Quelque chose en moi semblait me dire: " Pourquoi n'as-tu pas pris cette décision plus tôt? L'argent était là, il t'attendait ". Les événements se précipitèrent. J'avertis les journaux que je prêcherais le lendemain matin sur le thème suivant: " Ce que je ferais si j'avais un million de dollars ".

Je me mis immédiatement à travailler mon sermon, mais je dois vous avouer que la tâche fut facile car en deux ans j'avais eu largement le temps de m'y préparer!

Bien avant minuit, je me couchai et m'endormis, confiant en l'avenir car *je me voyais déjà en possession du million.*

Le lendemain matin, je me levai tôt, relus mon sermon, puis m'agenouillai et demandai à Dieu d'être entendu par quelqu'un qui serait en mesure de me donner cet argent.

Tandis que je priais, je sentis à nouveau la confiance m'envahir. Dans mon euphorie, je partis en oubliant mes notes et ne m'en rendis compte qu'en chaire au moment même où j'allais commencer à parler.

Finalement ce fut beaucoup mieux ainsi; mon subconscient me tint lieu d'aide-mémoire! Je fermai les yeux et parlai de tout mon cœur et toute mon âme. Je crois pouvoir dire que je m'adressai autant à Dieu qu'à mon auditoire. J'exposai ce que je ferais d'un million de dollars. Je décrivis le plan que j'avais imaginé pour organiser un grand centre d'enseignement où les jeunes développeraient à la fois leur sens pratique et leur esprit.

Ayant terminé, je m'assis et vis alors un homme, au troisième rang, se lever lentement et se diriger vers la chaire. Il gravit les escaliers, me tendit la main et me dit: " Mon Révérend, j'ai aimé votre sermon, je crois en vous et en votre idée. Pour vous le prouver, si vous venez demain matin à mon bureau, je vous donnerai ce million. Je m'appelle Phillip D. Armour ". »

Le jeune Gunsaulus se rendit au bureau de M. Armour et reçut l'argent avec lequel il fonda l'Institut Armour de Technologie, connu actuellement sous le nom d'Institut Illinois de Technologie.

Dans les 36 heures qui suivirent la décision consécutive au plan précis qu'il avait imaginé, il était en possession de cet argent! Ceci est très important.

Penser vaguement à un million et espérer mollement qu'on l'obtiendra un jour n'a rien d'original, d'autres le firent avant et après F. W. Gunsaulus. Ce qui sort de l'ordinaire, c'est la décision arrêtée qu'il prit, ce fameux samedi, d'avoir son argent avant huit jours.

Le principe qui permit au Dr Gunsaulus d'acquérir son million est toujours valable et il est à votre portée! La loi universelle est toujours aussi efficace qu'à l'époque où le jeune prédicateur l'utilisa avec tant de bonheur.

Une intention précise et des plans précis

Asa Candler et le Dr Frank Gunsaulus avaient quelque chose en commun: ils savaient que les idées peuvent se transformer en argent grâce au pouvoir qui découle d'un but et de plans précis.

Si vous êtes de ceux qui croient que seuls un dur labeur et une honnêteté foncière mènent à la richesse, détrompez-vous, il n'en est rien! La grosse fortune ne vient jamais uniquement à la suite d'un dur labeur. Elle vient en réponse à des demandes précises, basées sur l'application de lois et non par chance ou par hasard.

Tous les vendeurs passés maîtres dans leur profession savent qu'une idée peut se vendre là où des marchandises ne le peuvent pas. Les mauvais vendeurs l'ignorent, c'est pourquoi ils le resteront!

Un éditeur de livres bon marché fit une découverte valable pour l'ensemble de la corporation. Il se rendit compte que beaucoup de gens achètent un livre pour son titre et non pour son contenu. En changeant uniquement le titre d'un livre qui ne se vendait pas, il en écoula plus d'un million d'exemplaires!

Aussi simple que cela puisse paraître, voilà une bonne idée! Une idée jaillie de l'imagination.

Pour les idées, il n'existe pas de prix standard. Le créateur d'idées fait son prix et s'il sait s'y prendre, il gagnera beaucoup d'argent.

L'histoire de presque toutes les grosses fortunes a commencé le jour où un créateur d'idées et un vendeur d'idées se sont rencontrés et ont travaillé de concert. Carnegie s'entourait d'hommes chargés d'accomplir ce qui lui échappait, d'hommes qui forgeaient des idées, les réalisaient, échafaudant ainsi sa fortune et celle de ses collaborateurs.

Des millions de gens attendent toute leur vie un « coup de chance », une occasion. Or il est plus sûr de ne pas dépendre de la chance. C'est à elle que je dois l'événement le plus important de ma vie: ma rencontre avec Andrew Carnegie, mais il me fallut 25 ans *d'efforts précis* pour faire de cet événement un atout. Un simple désir aurait-il résisté 25 ans à la déception, au découragement, à la défaite temporaire, aux critiques et à l'impression constante que l'on « perd son temps »? Mon désir de constituer une philosophie du succès était un désir ardent, une obsession! A peine cette idée était-elle née en moi que je la cajolai, la berçai et la flattai *pour qu'elle demeure en vie.* Peu à peu, elle devint un géant puissant qui me cajola, me berça et me mena par le bout du nez. Les idées sont ainsi. Vous les faites vivre, agir, vous les guidez jusqu'à ce qu'elles deviennent puissantes et balaient toute opposition.

Les idées sont des forces intangibles, mais elles ont plus de pouvoir que le cerveau qui leur donna naissance. Elles ont le pouvoir de lui survivre.

RÉSUMÉ:

Vous pouvez utiliser votre imagination synthétique et votre imagination créatrice et, avec quelque pratique, vous pouvez les faire travailler en harmonie et les rendre invincibles.

Le manque d'imagination provoque de nombreux échecs. Asa Candler n'inventa pas la formule du *Coca-Cola*; il y ajouta quelques gouttes d'imagination et la convertit en fortune.

Il suffit, pour que cette fortune s'offre à vous, que vous désiriez une somme d'argent définie dans un but défini. Cette loi assura à un homme d'église un million de dollars.

Plus d'une réussite financière est née d'une simple idée. Vous pouvez gagner des millions sans plan original mais avec une *combinaison* nouvelle.

LE PLUS BEL OUTIL
NÉCESSITE UN OUVRIER
QUI SACHE S'EN SERVIR

CHAPITRE 7

Sixième étape vers la richesse: l'élaboration des plans

Une introduction au principe du « cerveau collectif ».

Vous pouvez mettre en valeur toutes vos possibilités, devenir un bon chef, et amasser beaucoup d'argent en un temps record.

Vous savez maintenant que le désir est à l'origine de tout ce que l'homme crée ou acquiert, que la première phase de ce désir, passant de l'abstrait au concret, se déroule dans l'atelier de l'imagination où des plans nécessaires à cette transformation sont élaborés et organisés.

Dans un précédent chapitre on vous a dit que pour transformer votre désir de richesse en son équivalent matériel, vous devez en tout premier lieu mettre en pratique six instructions précises et faciles à suivre. L'une d'elles incite à construire en imagination un ou plusieurs plans, à les cerner minutieusement, toujours en esprit, afin de déclencher le processus de leur transformation.

Apprenez maintenant à élaborer ces plans:

1. Réunissez tous les êtres qui seront nécessaires à la création et au développement de votre ou de vos plans pour devenir riche. Vous mettrez ainsi en application le principe du « cerveau collectif » décrit dans un chapitre ultérieur. (Il est *absolument essentiel* que cette instruction soit *respectée*.)

2. Avant de constituer votre « cerveau collectif », décidez des avantages et des bénéfices que *vous* pourrez offrir à chacun de ses membres en échange de leur coopération. Personne ne travaillera indéfiniment pour vous sans en retirer une compensation. Aucune personne sensée ne demandera ni n'attendra qu'une autre travaille pour elle sans compensation, que celle-ci soit d'ordre financier ou non.

3. Jusqu'à ce que vous ayez ensemble parfaitement mis au point le ou les plans nécessaires, arrangez-vous pour réunir les membres de

votre « cerveau collectif » au moins deux fois par semaine et plus souvent si possible.

4. Maintenez une entente parfaite entre chaque membre de votre « cerveau collectif » et vous-même. Si vous ne le faites pas, vous irez au devant d'un échec.

N'oubliez pas que:

1. Vous êtes engagé dans une entreprise qui revêt pour votre avenir une importance capitale. Si vous voulez réussir, il vous faut des plans parfaits.

2. Vous avez un atout: l'expérience, l'instruction, les talents et l'imagination des autres. Profitez-en à l'instar de tous ceux qui ont réussi.

Aucun être humain n'a assez d'expérience, d'instruction, de talents personnels pour faire fortune sans l'aide des autres. Tout plan d'enrichissement devrait être à la fois votre création et celle de votre « cerveau collectif ». Vous pouvez créer vos plans, entièrement ou en partie, mais il faut qu'ils soient approuvés par les membres de votre « cerveau collectif ».

La défaite vous rend plus fort

Si le premier plan que vous adoptez échoue, imaginez-en un second; si celui-ci ne réussit pas mieux, faites-en encore un et ainsi de suite jusqu'à ce que vous trouviez celui qui convient. Trop de gens lancent le manche après la cognée et c'est alors l'échec.

Le plus intelligent des hommes échouera dans toutes ses entreprises, s'il ne trace des plans précis et facilement réalisables. N'oubliez pas, si votre plan échoue, qu'une défaite temporaire n'est pas un échec permanent. Elle signifie seulement que votre plan était mal conçu. Recommencez inlassablement.

Rien n'est jamais perdu pour celui qui refuse d'abandonner.

James J. Hill subit un échec temporaire la première fois qu'il tenta de réunir le capital nécessaire à la construction d'une ligne de chemin de fer entre l'Est et l'Ouest, mais *en établissant d'autres plans* il transforma sa défaite en victoire.

Henry Ford essuya un échec alors qu'il était au faîte de sa carrière. Il créa de nouveaux plans et poursuivit sa marche victorieuse vers la fortune.

Des hommes riches, nous ne connaissons souvent que les triomphes et nous ignorons les défaites passagères qu'ils durent surmonter.

Personne ne peut prétendre faire fortune sans rencontrer l'échec sur sa route. Lorsque vous en subirez un, acceptez-le comme l'indice d'un plan faible: refaites celui-ci et repartez à la conquête du but convoité. Si vous abandonnez la partie avant d'avoir atteint ce but, vous êtes un « lâcheur ». *Un lâcheur ne gagne jamais et un vainqueur n'abandonne jamais.* Relevez cette phrase, en lettres majuscules, écrivez-la sur une feuille blanche que vous mettrez chez vous bien en évidence.

Choisissez les membres de votre « cerveau collectif », jetez votre dévolu sur ceux qui ne se laissent pas abattre.

On entend dire assez couramment que seul l'argent appelle l'argent. C'est faux! L'argent s'obtient par l'intermédiaire de cet agent qu'est le désir changé en son équivalent palpable. L'argent en soi est un objet inerte. Il ne peut bouger, penser, parler, mais il peut « entendre » l'appel de l'homme qui le désire et y répondre!

Vous pouvez vendre vos services et vos idées

Pour réussir, il est indispensable de dresser des plans intelligents. Ceux qui doivent commencer leur fortune en monnayant leurs propres services trouveront ici des instructions détaillées.

A la base de toute fortune importante il y a le salaire que son détenteur a touché en échange de ses services et de ses idées. D'ailleurs, que peut-on vendre d'autre?

Les dirigeants et les dirigés

Il y a dans le monde deux types d'individus: ceux qui dirigent et ceux qui sont dirigés. A vous de choisir à laquelle de ces deux catégories vous désirez appartenir.

Celui qui est dirigé ne peut raisonnablement espérer obtenir autant que celui qui dirige, mais très souvent il commet l'erreur de le croire.

Il n'y a aucun déshonneur à faire partie de la seconde catégorie. Mais on ne gagne rien à y rester. La plupart des grands dirigeants ont d'abord été ceux qui obéissent, ils devinrent des chefs parce qu'ils étaient d'intelligents subordonnés. A part quelques exceptions, l'homme qui est incapable d'obéir intelligemment à son chef ne sera jamais un bon dirigeant. Un subordonné intelligent a beaucoup d'avantages, entre autres, celui de tirer un enseignement de la conduite de son chef.

Les 11 secrets qui font un bon chef

1. *Le courage à toute épreuve*: Il est basé sur la connaissance et la préoccupation de soi. Aucun subordonné ne désire être dirigé par un chef qui manque de confiance en soi et de courage. Aucun subordonné intelligent ne sera dominé longtemps par un tel chef.

2. *La maîtrise de soi*: Celui qui n'est pas capable de se maîtriser ne pourra jamais maîtriser les autres. La maîtrise de soi est un puissant exemple que le plus intelligent des subordonnés voudra retenir.

3. *Un sens aigu de la justice*: S'il n'a un sens aigu de la justice et de l'équité, aucun dirigeant ne pourra commander longtemps ni conserver le respect de ceux qu'il dirige.

4. *La sûreté dans la décision*: Celui qui hésite à prendre une décision montre qu'il n'est pas sûr de lui et ne peut donc diriger les autres avec succès.

5. *La précision des plans*: Le bon chef doit planifier son travail et *travailler son plan*. Un chef qui agit à l'aveuglette, sans plan précis et facile à exécuter, est semblable à un bateau sans gouvernail. Tôt ou tard il s'échouera.

6. *L'habitude d'en faire plus que les autres*: A charge du chef (et c'est parfois pénible) la volonté d'en faire plus qu'il n'en demande à ses subordonnés.

7. *Une personnalité irréprochable*: La fonction de chef exige le respect. Les subordonnés ne respecteront pas le chef dont la personnalité n'est pas irréprochable.

8. *La sympathie et la compréhension*: Le bon chef doit éprouver de la sympathie pour ceux qu'il dirige et essayer de comprendre leurs problèmes.

9. *Le respect du détail*: Pour réussir, un bon chef ne devra négliger aucun des détails inhérents à sa charge.

10. *La volonté d'assumer toute la responsabilité*: Un chef est responsable des erreurs et des fautes de ses subordonnés. S'il essaie d'esquiver cette responsabilité, il ne restera pas longtemps en place. Si un subordonné commet une erreur et se montre incompétent, son chef doit se considérer *lui-même* comme fautif.

11. *La coopération*: Un chef, pour réussir, doit comprendre et *appliquer* le principe de l'effort en commun, être capable d'obtenir de ses subordonnés qu'ils fassent de même. La direction appelle le pouvoir, et le pouvoir demande la coopération.

Il y a deux façons de diriger: la première, et de loin la plus efficace, avec le consentement et la sympathie des dirigés; la seconde, par la force, sans consentement ni sympathie.
A maintes reprises, l'histoire a prouvé que la dictature est éphémère.
La chute et la disparition des dictateurs et des rois signifient que le peuple n'accepte pas indéfiniment un pouvoir pris par la force.
Napoléon, Mussolini, Hitler en sont des exemples. Le seul pouvoir qui peut durer est celui auquel le peuple a pleinement *consenti*.
Celui qui appliquera ces 11 principes réussira.

Pourquoi certains dirigeants échouent-ils?

Il est aussi utile de savoir *ce qu'il ne faut pas faire* que ce qu'il faut faire. Voyons les erreurs fondamentales qui mènent les dirigeants à l'échec:

1. *La négligence des détails*: Un chef efficace doit savoir organiser et maîtriser ce qui est inhérent à ses fonctions. Pour pouvoir modifier ses plans ou accorder toute son attention à quelque événement urgent il ne doit pas être « trop occupé ». Il doit prendre l'habitude de se décharger de tous les détails sur des collaborateurs efficaces.

2. *Le refus de rendre d'humbles services*: Le bon chef doit accepter, si les circonstances l'exigent, d'exécuter n'importe quelle sorte de travail qu'en temps normal il demanderait à d'autres, « Les plus grands d'entre vous seront les serviteurs de tous » est une vérité que tous les chefs capables observent et respectent.

3. *L'erreur de vouloir être payé pour ce que l'on sait et non pour ce*

que l'on fait: On ne paie pas les gens pour ce qu'ils savent mais pour ce qu'ils font ou font faire aux autres.

4. *La peur d'être concurrencé par ses subordonnés*: Le chef qui craint qu'un de ses subordonnés ne prenne sa place est pratiquement sûr de voir son appréhension se justifier tôt ou tard. Le bon chef forme des collaborateurs capables de le seconder efficacement. C'est seulement ainsi qu'il peut se multiplier et remplir avec succès les nombreux devoirs de sa charge. Un bon chef peut, par une connaissance approfondie de son travail et le magnétisme de sa personnalité, accroître l'efficacité de ses subordonnés et les encourager à travailler davantage et mieux qu'ils ne le feraient sans son aide.

5. *Le manque d'imagination*: Sans imagination, un chef est incapable de parer aux tâches urgentes et de créer des plans pour guider efficacement ses subordonnés.

6. *L'égoïsme*: Le chef qui revendique tout l'honneur du travail accompli par ses subordonnés peut être certain qu'on lui en tiendra rigueur. Le chef vraiment digne de ce nom ne revendique aucune louange mais il est content de voir ses subordonnés à l'honneur, car il sait que la plupart des gens travaillent avec plus de coeur s'ils peuvent espérer félicitations et avancements.

7. *L'intempérance*: Les subordonnés ne respecteront pas un chef intempérant. De plus, l'intempérance, sous toutes ses formes, détruit l'endurance et la vitalité.

8. *La trahison*: Peut-être aurais-je dû la mettre en tête de liste. Le chef qui trahit son poste et ses associés, ceux qui sont au-dessus de lui comme ceux qui sont en-dessous, celui-là ne peut se maintenir longtemps au pouvoir. La trahison n'appelle que le mépris. Le manque de loyauté est la cause la plus courante de l'échec.

9. *Mettre l'accent sur l'autorité que confère le pouvoir*: Le chef qui abuse de son « autorité » tombe dans la catégorie des dictateurs. Un chef digne de ce nom se fera respecter par sa compréhension, sa loyauté et la connaissance qu'il montrera de son métier.

10. *Mettre l'accent sur son titre*: Un chef compétent n'a pas besoin de « titre » pour se faire respecter de ses subordonnés. On peut penser de celui qui ne cesse d'afficher son titre qu'il n'a pas d'autre qualité à

produire. Le bureau du vrai chef est toujours ouvert au collaborateur qui désire y entrer et ce lieu de travail doit être dénué de toute ostentation.

Est susceptible de provoquer l'échec, chacune de ces dix erreurs de comportement. Afin de les éviter, étudiez-les soigneusement si vous briguez un poste directorial.

Les nombreux domaines où l'on manque de dirigeants

Avant de passer à un autre sujet, examinons quels sont les domaines où un bon chef aura mille occasions de prouver sa valeur.

1.   Dans le monde de la politique. On en a de plus en plus besoin.

2.   Dans celui de la banque, qui est en pleine réforme.

3.   L'industrie requiert de nouveaux chefs qui, pour durer, devront agir en tant que personnalités publiques presqu'officielles, et diriger leurs affaires avec brio.

4.   Dans le domaine religieux, le futur chef devra davantage tenir compte des besoins temporels de ses fidèles et les aider à résoudre leurs problèmes économiques et personnels présents, en donnant moins d'importance au passé et au futur.

5.   Dans les professions libérales, une nouvelle catégorie de dirigeants est nécessaire. C'est plus particulièrement vrai dans l'enseignement où une refonte s'impose pour le rendre plus pratique.

6.   Dans le journalisme, de nouveaux cadres sont également requis.

Ce ne sont que quelques-uns des domaines où sont appelés de nouveaux chefs. Le monde est en train d'évoluer très rapidement et bientôt il faudra adapter à ces changements toutes nos habitudes d'hommes.

Comment trouver un bon emploi?

L'expérience a prouvé que les méthodes qui suivent sont les plus directes et les plus efficaces pour amener l'acheteur et le vendeur à travailler ensemble:

1.   *Les bureaux de placement*: Il faut avoir soin de ne choisir que des maisons de solide réputation et qui obtiennent des résultats satisfaisants grâce à une bonne gérance.

2. *Les annonces*: Insérez-les dans les journaux, les bulletins commerciaux et les revues. L'annonce classique donne généralement de bons résultats. L'annonce originale doit être placée là où elle attirera l'attention de l'employeur. Elle avantage ceux qui cherchent un poste à responsabilités. De toutes les façons, elles devront être rédigées par un expert qui sait comment mettre en valeur les qualités des services proposés.

3. *Lettres personnelles de demande d'emploi*: Elles seront adressées à des entreprises ou à des personnes susceptibles d'avoir besoin de la collaboration que l'on offre. Ces lettres seront toujours *dactylographiées sans fautes et signées à la main*. On y joindra un curriculum vitae. Tous deux seront préparés par un expert (voir plus loin les instructions à ce sujet).

4. *Demande d'emploi par personne interposée*: Dans la mesure du possible, le requérant doit s'efforcer de toucher, par personne interposée, l'employeur pressenti. C'est une méthode d'approche particulièrement avantageuse pour ceux qui recherchent un poste à responsabilités et qui seraient gênés de faire leur propre éloge.

5. *La demande est faite directement*: La demande peut être plus efficace parfois si le requérant offre personnellement ses services à l'employeur pressenti. Dans ce cas, il présentera un curriculum vitae pour que l'employeur, s'il le désire, puisse en discuter avec ses associés.

Comment rédiger un curriculum vitae?

Il faut le préparer avec autant de soins qu'un avocat prépare le dossier d'un accusé qu'il doit défendre en cour d'assises. Si le requérant n'a pas une certaine expérience en la matière, il sera sage de s'adresser à un expert. Des commerçants « arrivés » utilisent, pour vanter les mérites de leurs marchandises, des psychologues des deux sexes rompus à l'art de la publicité. Celui qui veut vendre ses services personnels doit faire de même. Dans le curriculum vitae figureront les précisions suivantes:

1. *Instruction*: Établissez brièvement mais clairement une liste des écoles où vous avez fait vos études, la branche dans laquelle vous vous êtes ensuite spécialisé et les raisons qui vous y ont poussé.

2. *Expérience*: Si vous avez déjà occupé des postes semblables à celui que vous sollicitez, décrivez-les, donnez les noms et les adresses de vos employeurs précédents. Si vous avez déjà acquis de l'expérience dans une discipline, n'oubliez pas de le mentionner clairement.

3. *Références*: Pratiquement toutes les entreprises veulent connaître les antécédents d'un éventuel employé. Joignez à votre curriculum vitae des photocopies de lettres de:

   a) vos précédents employeurs

   b) vos professeurs

   c) personnes dignes de foi au jugement équitable.

4. *Photographie*: Joignez-y aussi une photographie récente.

5. *Sollicitez un emploi précis*: Evitez de solliciter un emploi sans préciser quel est exactement celui que vous recherchez. Ne demandez jamais « n'importe quel emploi », on en déduirait que vous n'avez pas de qualifications spéciales.

6. *Indiquez les qualifications que vous possédez pour cet emploi*: Détaillez amplement la raison qui vous pousse à croire que vous êtes qualifié pour le poste que vous briguez. C'est l'élément le plus important de votre candidature. Plus que tout autre, il retiendra l'attention.

7. *Offrez de travailler à l'essai*: Si vous êtes sûr de vos qualifications, proposez un essai. Cette suggestion montrera que vous avez confiance en vos possibilités et que vous vous savez à la hauteur de l'emploi que vous sollicitez. L'expérience a démontré que ce dernier argument est convaincant. Indiquez clairement que vous faites cette offre parce que:

   a) vous êtes sûr que vous ferez l'affaire

   b) vous êtes sûr qu'après la période d'essai votre employeur décidera de vous garder

   c) vous êtes déterminé à obtenir cet emploi.

8. *Connaissance de l'affaire de votre employeur éventuel*: Avant de solliciter un emploi, renseignez-vous sur l'entreprise dans laquelle vous voulez vous engager et précisez dans votre curriculum vitae ce que vous avez appris à ce sujet. Votre futur patron en sera impressionné et verra que vous portez un réel intérêt à son affaire.

Rappelez-vous que l'avocat qui gagne n'est pas celui qui connaît le mieux la loi mais bien celui qui a le mieux étudié sa cause. Si votre « cause » est bien préparée et présentée, vous aurez déjà fait la moitié du chemin. N'ayez pas peur d'un curriculum détaillé car les employeurs recherchent les services d'un employé qualifié. En fait, le succès de la plupart des employeurs qui ont réussi tient en grande partie à ce qu'ils ont su choisir des collaborateurs hautement qualifiés.

Rappelez-vous aussi que la netteté de votre curriculum indiquera que vous êtes soigneux. J'ai aidé à préparer des curriculum qui étaient si originaux et bien présentés que mes clients obtinrent l'emploi désiré sans même une entrevue préalable avec le directeur.

Votre curriculum devra être présenté de la manière suivante:

> Curriculum vitae contenant les qualifications
> de Louis Dupont
> qui sollicite l'emploi de ...
> Secrétaire privé
> du Président de
> La Compagnie ...

Les vendeurs qui réussissent sont ceux qui soignent leur présentation. Ils savent que la première impression est capitale. Votre curriculum vitae est votre vendeur, présentez-le bien et il sera votre meilleur atout. Plus l'emploi que vous désirez en vaut la peine, plus se justifient les efforts que vous déployez pour l'obtenir. En outre, si vous impressionnez votre employeur par la façon dont vous sollicitez votre emploi, vous serez mieux payé que si vous l'aviez brigué de manière très conventionnelle.

Si vous vous adressez à un bureau de placement, à une agence de publicité, donnez-leur votre curriculum vitae, leurs employés n'en seront que mieux disposés à votre égard.

Cherchez le travail que vous aimeriez faire

Il est plus agréable de travailler selon ses aptitudes. Un artiste peintre aime travailler avec ses pinceaux, un artisan avec ses mains, un écrivain avec sa plume. Ceux qui ont des talents moins précis ont quand même leurs préférences dirigées dans un certain domaine des affaires ou de l'industrie.

1. Décidez *exactement* quel travail vous aimeriez accomplir. S'il n'existe pas, peut-être pourrez-vous l'inventer.

2. Choisissez votre entreprise ou l'homme avec qui vous désirez travailler.

3. Etudiez votre employeur éventuel, son caractère, son personnel, évaluez vos chances d'avancement.

4. En analysant vos qualités, voyez *ce que vous pouvez offrir* et sous quelle forme.

5. Quand vous aurez votre plan en tête, confiez-en la rédaction à un spécialiste.

6. Présentez-le à la *personne qui a autorité en la matière* et elle fera le reste. Toutes les entreprises cherchent des hommes qui peuvent lui apporter quelque chose de valable, que ce soient des idées, des services ou des relations. Elles ont toutes une place pour celui qui a établi un plan d'action précis au service de leurs intérêts.

L'exécution de cette méthode prendra plusieurs jours ou plusieurs semaines de vos loisirs mais il en résultera en gain, avancement, considération, ce que ne pourraient vous donner des années d'un travail pénible et peu rentable. Cette méthode présente de nombreux avantages. Le premier est de vous faire gagner d'un à cinq ans.

Le client est votre partenaire

Dans le monde moderne, les relations ont beaucoup changé entre l'employeur et les employés. Ceux-ci sont devenus des collaborateurs qui monnayent leurs services et cette collaboration évolue de plus en plus vers l'association avec les clients.

Aujourd'hui « courtoisie » et « service » sont les mots d'ordre du commerce.

En Amérique, il y eut une époque où l'employé qui relevait les compteurs à gaz s'annonçait à grands coups de pied dans la porte au risque de la voir sortir de ses gonds. Quand on la lui ouvrait il s'écriait furieux: « Je n'aime pas attendre! »

L'employé est devenu un gentleman « enchanté d'être à votre service ». Il est vrai que les vendeurs de lampes à huile avaient eu le temps de faire, avec déférence, d'excellentes affaires bien avant que la Compagnie

du gaz ne régnât et ne se rendît compte d'une erreur psychologique.
La qualité des services, leur quantité, l'esprit qui les anime déterminent
le salaire et la durée de l'emploi.

La *qualité* du service implique, toujours et partout, la meilleure exécution de chaque détail inhérent à votre fonction.

La *quantité* doit être comprise ainsi: rendez tous les services dont vous
êtes capable; efforcez-vous d'augmenter votre potentiel en développant
votre habileté dans la pratique et l'expérience. Que ceci devienne une
habitude.

J'insiste sur le mot: *habitude.*

Que l'*esprit* anime l'habitude d'une conduite harmonieuse qui favorise
la coopération entre employés, associés et amis.

Andrew Carnegie a insisté sur la nécessité d'une conduite harmonieuse
et sur le fait que lui-même ne garderait pas un homme qui ne travaillerait pas dans un esprit d'harmonie, même s'il était très efficace sur
le plan de la qualité et de la quantité.

C'est assez logique si l'on pense que rien ne peut compenser un mauvais
caractère. Par contre, à quelqu'un de sympathique et qui travaille dans
un esprit d'harmonie on pardonnera quelques lacunes de quantité et de
qualité.

Prendre ou donner?

Celui qui vend ses services est un commerçant, au même titre que celui
qui vend des marchandises; sa conduite est soumise aux mêmes lois.

Il est utile de le dire, car bien des gens qui monnayent leurs talents
font l'erreur de se croire déliés de toute règle de conduite et des responsabilités qui incombent à ceux qui vendent des marchandises.

Le temps où l'on « prenait » est révolu. Maintenant, il faut « donner ».

Le capital-valeur de votre cerveau peut être déterminé par ce que vous
gagnez en vendant vos services. Une juste estimation du capital qu'ils
représentent peut se calculer en multipliant votre revenu annuel par
16 2/3, car on estime que votre revenu annuel représente 6 % de votre
capital. L'argent rapporte 6 % par an, il ne vaut pas plus que le cerveau, au contraire, il vaut souvent beaucoup moins.

Les « grands cerveaux » bien exploités représentent une forme de capital bien plus désirable que celle qui est nécessaire à la gérance d'une
affaire commerciale: « le cerveau » est un capital qui ne se déprécie pas

au moment des crises, que l'on ne peut ni voler ni dépenser. De plus s'il n'est pas administré par un cerveau, l'argent qui est essentiel à la gérance d'une affaire a aussi peu de valeur que du sable.

31 façons d'échouer

Essayer de toutes ses forces et échouer, voilà l'une des plus grandes tragédies humaines! Tragédie en effet si l'on compare le très grand nombre de gens qui échouent à celui, très limité, de ceux qui réussissent. J'ai eu le privilège d'étudier plusieurs milliers d'hommes et de femmes dont 98 % étaient considérés comme des ratés.

J'en ai conclu qu'il existe 31 grandes raisons d'échec et 13 principes primordiaux qu'il faut connaître et appliquer pour faire fortune. Voici la liste des 31 causes d'échec. Analysez-la, point par point, et tâchez de découvrir parmi ces causes celles qui vous barrent la route du succès.

1.   *Un terrain héréditaire peu favorable*: Malheureusement, on ne peut rien faire, ou si peu, pour ceux qui naissent avec une déficience mentale. Ce livre n'offre qu'un moyen d'y remédier: le « cerveau collectif ». Notez cependant que cette cause d'échec est la seule des 31 à ne pouvoir être *facilement éliminée* par l'individu qui en est la victime.

2.   *Pas de but bien défini*: Il n'y a aucun espoir de succès pour celui qui n'a pas un *but bien défini*. 98 % des personnes dont j'ai étudié le cas, n'en avaient pas. C'était probablement la cause directe de leur échec.

3.   *Le manque d'ambition pour s'élever au-dessus de la médiocrité*: Celui dont l'indifférence est telle qu'il ne désire pas se dépasser et ne veut pas payer le prix de l'effort, celui-là n'a aucune chance de réussir.

4.   *Une instruction insuffisante*: C'est un handicap auquel on peut facilement remédier. L'expérience a prouvé que les personnes les plus instruites étaient souvent celles qui s'étaient cultivées seules. Pour avoir de l'instruction, il faut plus qu'un diplôme universitaire. Est instruit celui qui a appris à obtenir ce qu'il veut de la vie sans pour autant léser les intérêts d'autrui. L'instruction est moins une question de connaissances théoriques que de connaissances pratiques et efficaces. Les hommes sont payés non seulement pour ce qu'ils savent mais surtout pour ce qu'ils font de leur savoir.

5. *Le manque d'autodiscipline*: La discipline vient de la maîtrise de soi. Avant de pouvoir contrôler les circonstances, vous devez savoir vous contrôler vous-même. La maîtrise de soi est le travail le plus dur auquel tout homme doit s'attaquer. Si vous ne conquérez pas votre être, vous serez conquis par lui. Vous verrez dans votre miroir à la fois votre meilleur et votre pire ennemi.

6. *La mauvaise santé*: La vraie réussite appartient à ceux qui sont en bonne santé. De nombreuses causes de maladie peuvent s'éliminer grâce à la maîtrise et au contrôle de soi. Les principales sont:

a) une alimentation trop riche

b) la mauvaise habitude d'héberger des pensées noires

c) les abus sexuels

d) le manque d'exercices physiques

e) une mauvaise respiration empêchant le renouvellement régulier d'air frais.

7. *Les mauvaises influences pendant l'enfance*: Dans la plupart des cas, la tendance au crime se développe au contact d'un entourage vicieux et par de mauvaises fréquentations pendant l'enfance.

8. *L'hésitation*: C'est l'une des causes les plus courantes d'échec. L'hésitation du « vieil homme » veille en chaque individu, prête à gâcher toute chance de succès. La plupart des êtres arrivent au bout de la vie sans avoir rien entrepris car, en vain, ils ont attendu « le bon moment ». Ne les imitez pas! Le « bon moment » ne vient jamais! Mettez-vous immédiatement à l'ouvrage avec les outils dont vous disposez; peu à peu vous en trouverez de meilleurs.

9. *Le manque de persévérance*: En général, nous commençons assez bien ce que nous entreprenons, mais nous le finissons mal. Nous avons tendance à abandonner prématurément. Rien ne peut remplacer la persévérance. Celui qui en fait son mot d'ordre découvre que le « vieil homme de l'échec » se fatigue à la longue et s'efface. L'échec ne peut rivaliser avec la persévérance.

10. *Une personnalité négative*: Une personnalité négative n'attire pas, au contraire. Comment pourrait-elle attirer la réussite? Le succès vient par l'application du pouvoir, le pouvoir s'obtient grâce à la coopération de tous. Or une personnalité négative n'engage pas à la coopération.

11. *L'impossibilité de contrôler ses instincts sexuels*: L'énergie sexuel-

le est le plus puissant de tous les stimulants. Pour cette raison, contrôlée par la transmutation, elle est dirigée vers des voies plus hautes.

12. *Le désir incontrôlé de gestes gratuits*: L'instinct du jeu conduit des millions de gens à leur perte. Une étude du krach de Wall Street de 1929 montre que des millions de personnes essayèrent à ce moment-là de gagner de l'argent en jouant leurs stocks de provisions.

13. *Le manque de décision*: Les hommes qui réussissent prennent leurs décisions rapidement. Ceux qui hésitent vont d'échec en échec. L'indécision et l'hésitation sont deux soeurs jumelles. Quand on trouve l'une, on trouve l'autre. Détruisez-les avant qu'elles ne vous entraînent à l'échec.

14. *Les six formes fondamentales de la peur*: Elles seront analysées dans un chapitre ultérieur. Pour pouvoir rendre des services efficaces, il faut absolument les maîtriser.

15. *Mal choisir son partenaire dans le mariage*: C'est encore une des causes d'échec les plus courantes. Les relations entre deux êtres mariés sont très intimes. Inharmonieuses, elles sont un facteur d'échec qui entraîne souvent la misère et le malheur et détruit toute ambition.

16. *Trop de circonspection*: Celui qui n'ose saisir la chance offerte, devra se contenter des miettes laissées par les autres. Trop de prudence est aussi dangereux que pas assez. Gardez-vous de ces deux extrêmes.

17. *Mal choisir ses associés*: L'une des causes d'échec les plus courantes en affaires. Ayez soin, lorsque vous proposez vos services, de choisir un employeur intelligent et heureux en affaires. Nous avons tendance à imiter ceux avec qui nous sommes le plus intimement associés. Choisissez un employeur qui pourra être un exemple pour vous.

18. *La superstition et ses maléfices*: La superstition est une forme de peur et d'ignorance. Celui qui réussit a les idées larges et n'a peur de rien.

19. *Se tromper de vocation*: Personne ne peut réussir dans une entreprise qui ne lui plaît pas, où il ne se sent pas à l'aise. Il est essentiel de choisir une occupation à laquelle vous vous consacrerez de gaieté de coeur.

20. *La dispersion de l'effort*: Le « touche à tout » est finalement incapable de faire quelque chose convenablement. Concentrez tous vos efforts sur un but unique et précis.

21. *L'habitude de dépenser sans compter*: Le prodigue ne peut réussir parce qu'il sera éternellement pauvre. Prenez l'habitude d'économiser systématiquement une fraction de votre revenu. Lorsqu'il s'agit de proposer ses services, un compte en banque donne assurance et courage. Sans argent, on est obligé de prendre ce que l'on vous offre en se trouvant bien heureux de l'avoir.

22. *Le manque d'enthousiasme*: Sans enthousiasme, on ne peut convaincre personne. De plus, il est contagieux et celui qui, l'ayant, le contrôle, est généralement bien accueilli dans n'importe quelle société.

23. *L'intolérance*: Celui qui est étroit d'esprit n'ira jamais loin. L'intolérance est intransigeante et s'oppose à toute nouvelle connaissance. La forme d'intolérance qui fait le plus de mal se manifeste au nom de la religion, de la race et des opinions politiques.

24. *L'intempérance*: La pire forme d'intempérance concerne les aliments, la boisson et la vie sexuelle. Y succomber est se vouer à l'échec.

25. *Etre incapable de coopérer*: C'est ainsi que l'on perd sa situation et la chance de sa vie. C'est une faute qu'aucun homme d'affaires averti ne tolérera.

26. *La possession d'un pouvoir non acquis par ses propres efforts* (fils et filles d'hommes riches qui héritent l'argent qu'ils n'ont pas gagné): Le pouvoir est souvent une cause d'échec s'il n'est gagné petit à petit. La richesse obtenue d'un seul coup est plus dangereuse que la pauvreté.

27. *La malhonnêteté voulue*: Rien ne remplace l'honnêteté. Il peut arriver que l'on soit malhonnête temporairement, à la suite de circonstances incontrôlables et fortuites. Mais la personne qui a choisi d'être malhonnête sera tôt ou tard trahie par ses actes et elle les paiera par la perte de sa réputation ou de sa liberté.

28. *L'égoïsme et la vanité*: Ces défauts sont des feux rouges qui avertissent autrui d'un danger. Ils sont incompatibles avec le succès.

29. *Deviner au lieu de réfléchir*: La plupart des gens sont trop indifférents ou paresseux pour juger par eux-mêmes de la réalité. Ils préfèrent adopter des opinions toutes faites sur lesquelles ils fondent des appréciations artificielles.

30. *L'insuffisance de capitaux*: C'est une cause d'échec courante chez ceux qui se lancent dans les affaires pour la première fois sans avoir prévu

une réserve de capitaux suffisante pour réparer les erreurs et subsister jusqu'à ce que la réputation soit établie.

31. *Autres causes*: N'importe quelle cause d'échec dont vous avez été victime et qui ne figure pas sur cette liste.

Ces 31 causes principales d'échec résument la tragédie de la vie dont les victimes sont pratiquement tous ceux qui ont essayé de faire fortune et ont échoué. Demandez à quelqu'un qui vous connaît bien de revoir cette liste avec vous et de vous aider à trouver la cause d'échec qui vous concerne particulièrement. Si vous êtes de ceux qui se voient comme les autres les voient, vous pouvez, bien entendu, étudier seul cette liste.

Comment faites-vous votre propre publicité?

« Connais-toi toi-même » est le plus ancien des préceptes philosophiques. Pour vendre des marchandises avec succès, vous devez bien les connaître. C'est également vrai lorsque vous vendez vos propres services. Vous devriez savoir exactement quels sont vos points faibles, de façon à pouvoir y remédier peu à peu pour finalement les éliminer. Vous devriez connaître vos atouts, les valoriser devant votre employeur éventuel. Or, vous ne pourrez vous connaître qu'après vous être analysé longuement et soigneusement.

Avant de demander un réajustement de salaire ou de solliciter un autre emploi, persuadez-vous que vous valez plus que ce que vous êtes estimé. Vouloir plus l'argent est une chose, tout le monde en veut davantage, mais valoir plus en est une autre! Et souvent on confond les deux. Vos revendications en matière de salaire n'ont rien à voir avec votre valeur. Celle-ci est basée uniquement sur votre aptitude à rendre des services ou à inciter les autres à les rendre.

Avez-vous obtenu de l'avancement l'an dernier?

Lorsqu'on monnaye ses services, il est aussi important de faire sa propre analyse qu'il est capital d'effectuer un inventaire annuel quand il s'agit de marchandises. L'analyse annuelle vous révélera peut-être une baisse de vos défauts et une augmentation de vos qualités. Dans la vie, on avance, on reste stationnaire, ou on recule. Notre objectif devrait toujours être, bien sûr, d'avancer. L'analyse de soi dévoilera si l'on a « avancé ».

Si tel est le cas, de combien est cette avance? Elle mettra également en lumière le plus petit pas en arrière. Même lentement, il faut toujours avancer!

Vous avez intérêt à faire cette analyse à la fin de l'année; ainsi vous pourrez inclure dans les bonnes résolutions que vous prendrez le jour de l'An, celle de corriger vos points faibles. Faites cet inventaire en vous posant les questions suivantes et en y répondant avec l'aide d'une personne qui ne vous laissera pas tricher et vous forcera à dire la vérité.

28 questions très personnelles

1. Ai-je atteint le but que je m'étais fixé cette année? (Le but annuel ne doit être qu'une étape de votre vie qui est toute axée vers un but plus élevé.)

2. Ai-je fait de mon mieux ou aurai-je pu améliorer la qualité de mes services?

3. Ai-je fait de mon mieux ou aurais-je pu améliorer la quantité de mes services?

4. Ai-je toujours été animé par un esprit d'harmonie et de coopération?

5. Ai-je laissé, par manque de décision, amoindrir mon efficacité et, si tel est le cas, jusqu'à quel point?

6. Ai-je amélioré mon caractère et, si oui, de quelle façon?

7. Ai-je été assez persévérant pour faire aboutir mes plans?

8. Ai-je toujours promptement et définitivement pris les décisions qui m'incombaient?

9. Ai-je permis à la peur sous toutes ses formes d'amoindrir mon efficacité?

10. Ai-je été trop ou pas assez prudent?

11. Mes relations avec mes associés ont-elles été harmonieuses ou non? Si elles ont été désagréables, suis-je fautif, en partie, ou entièrement?

12. Ai-je gaspillé mon énergie par manque de concentration dans l'effort?

13. Ai-je eu les idées larges et ai-je été tolérant en toutes choses?

14. De quelle façon ai-je amélioré mon aptitude à rendre service?

15. Ai-je été trop loin dans l'une ou l'autre de mes habitudes?

16. Ai-je exprimé, ouvertement ou même secrètement, une forme quelconque d'égoïsme?

17. Ma conduite envers mes associés les a-t-elle forcés au respect?

18. Mes opinions et mes décisions ont-elles été basées sur l'intuition ou sur la réflexion et l'étude approfondie?

19. Ai-je pris l'habitude d'établir un budget pour tout: mon temps, mes dépenses, mon revenu, et m'y suis-je conformé?

20. Combien de temps ai-je consacré à des efforts inutiles alors que j'aurais pu l'utiliser à d'autres fins?

21. Comment, pour être plus efficace que l'année dernière, réorganiser mon temps et changer mes habitudes?

22. Ai-je été coupable d'une action réprouvée par ma conscience?

23. Ai-je rendu gratuitement des services et, si tel est le cas, comment m'y suis-je pris?

24. Ai-je été injuste envers quelqu'un et, dans l'affirmative, de quelle façon?

25. Si, pour l'année qui s'achève, j'avais été l'acheteur de mes propres services, en aurais-je été content?

26. Ai-je choisi la profession qui me convient? et, dans la négative, pourquoi?

27. L'acheteur de mes services a-t-il été satisfait et, dans la négative, pour quelle raison?

28. Si, en prenant pour repère les principes fondamentaux du succès, je fais le point de ma situation actuelle, quelle est-elle? (Faites-le en toute franchise et demandez à quelqu'un d'assez courageux pour être objectif et le vérifier).

Vous avez lu et assimilé ce chapitre, vous voilà prêt à élaborer un plan qui vous permettra de négocier vos propres services. Ce chapitre est indispensable à tous ceux qui désirent faire fortune. Ceux qui l'ont perdue et ceux qui commencent à gagner leur vie n'ont que leurs propres services à offrir en échange de la richesse. Il est donc essentiel qu'ils sachent comment les utiliser le plus avantageusement possible. C'est par l'expérience que vous comprendrez et assimilerez entièrement cet enseignement. Il vous rendra apte au jugement et à l'analyse de toute chose. Il est particulièrement efficace pour les directeurs du personnel, pour ceux des bureaux de placement et pour les cadres chargés de recruter des employés. Si vous doutez de cet enseignement, éprouvez-le en répondant par écrit aux 28 questions énoncées ci-dessus.

Liberté chérie

Après avoir étudié les conditions qu'il faut observer pour devenir riche, posons-nous la question: « Où trouver une occasion favorable à l'application de ces conditions? »
De nos jours, les citoyens de presque tous les pays du monde jouissent de la liberté de penser, d'agir, de choisir un métier, leur lieu de résidence, leur conjoint. Ils sont libres de voyager, de s'alimenter à leur gré, de faire fortune, à condition toutefois de ne pas léser autrui.
Il n'est une forme de liberté dont l'homme dispose qui ne soit une occasion de faire fortune.
Et d'où nous vient la liberté?

Faites crédit au capital

Le capital, voici le nom du mystérieux bienfaiteur de l'humanité.
Par le mot « capital » il faut entendre non seulement l'argent mais aussi les groupes d'hommes intelligents et parfaitement organisés qui élaborent des plans pour rendre cet argent profitable aux autres et à eux-mêmes. Ces groupes réunissent: des savants, des professeurs, des chimistes, des inventeurs, des publicistes, des experts comptables, des juristes, des médecins, des hommes et des femmes qui sont hautement spécialisés dans tout ce qui touche aux affaires et à l'industrie. Ils innovent, expérimentent et se fraient un chemin à travers de nouveaux champs d'essai. Ils entretiennent les Universités, les hôpitaux, les écoles publiques, construisent de bonnes routes, publient les journaux, soutiennent financièrement le gouvernement et s'occupent d'une foule de détails essentiels au progrès de l'humanité. En bref, les capitalistes sont les cerveaux de la civilisation.
Sans maîtres pour l'administrer, l'argent est toujours dangereux. Mais, bien utilisé, il est un des facteurs primordiaux de la civilisation.
Pour estimer l'importance d'un capital organisé, imaginez-vous assumant

seul la responsabilité du petit déjeuner familial.

Pour avoir du thé, vous devriez aller en Chine ou aux Indes, ce qui fait un long voyage! Et même avec l'endurance physique nécessaire, vous n'auriez pas d'argent pour le payer.

Vous devriez aussi chercher très loin la matière première du sucre. Pour la transformer en l'aliment qui figure sur notre table, il faut un effort concerté et de l'argent.

Si nous n'avions pas de système capitaliste, nous serions obligés d'aller personnellement chercher dans leurs pays d'origine tous les produits d'alimentation, ou presque, que nous consommons.

La civilisation est bâtie sur le capital

Les fonds nécessaires à la construction et à l'entretien des voies ferrées et des bateaux qui nous amènent les éléments de notre petit déjeuner peuvent être qualifiés d'« astronomiques ». Ils sont de centaines de millions de francs sans compter la rétribution du nombreux personnel que nécessite le fonctionnement de ces deux moyens de transport. Mais le transport n'est qu'un rouage de notre civilisation moderne capitaliste. Avant de le transporter, il a fallu cultiver, fabriquer et lancer le produit sur le marché ce qui représente des millions de francs en équipement, machines, conditionnements et salaires d'une légion d'hommes et de femmes.

Mais trains et bateaux ne sont pas sortis de terre tout seuls et ne marchent pas automatiquement. Ils sont le résultat du travail, de l'ingéniosité et de l'habileté d'hommes riches d'imagination, de foi, d'enthousiasme et qui possèdent un esprit de décision et une persévérance à toute épreuve. Ces hommes, on les appelle des capitalistes. Ils sont mûs par le désir de construire, d'entreprendre, de rendre des services utiles, de gagner de l'argent, de faire fortune. Et parce qu'ils rendent des services indispensables à la société, ils se placent eux-mêmes sur le chemin de la fortune.

Mon intention n'est pas de constituer un dossier en faveur ou contre un groupe d'hommes ou un certain système d'économie.

Le but de ce livre, *un but auquel je me suis donné corps et âme pendant plus d'un demi siècle*, est de présenter, à tous ceux qui désirent l'acquérir, la philosophie qui permet à un homme de gagner autant d'argent qu'il lui plaira.

Si j'ai analysé ici les avantages économiques du système capitaliste c'est pour vous prouver que:

1. Tous ceux qui cherchent à faire fortune doivent apprendre à reconnaître le système qui ouvre les voies d'accès à la fortune et s'y adapter.

2. En présentant le problème de cette façon on s'oppose à la version généralement défendue par les politiciens et les démagogues qui, délibérément, se ferment des issues en traitant le capital organisé comme s'il était un poison.

L'Amérique est un pays capitaliste. Elle s'est développée grâce au capital. Or nous devons savoir que nous n'aurions ni espoir de richesse ni occasions de faire fortune si le capital organisé ne nous en donnait pas la possibilité.

Faire fortune légalement, c'est rendre des services utiles. Aucun système n'a encore été inventé qui permettrait, sans rien donner en échange, d'acquérir légalement de l'argent.

Votre pays est riche

Vous voulez faire fortune? Ne dédaignez pas les possibilités innombrables que vous offre un pays tel que le vôtre où les habitants sont si riches que les femmes dépensent des millions de francs par an en rouge à lèvres et autres produits de maquillage.

Vous voulez de l'argent? Votre pays dépense annuellement des sommes importantes en cigarettes.

Ne soyez pas trop pressé de quitter ce pays dont les habitants, volontairement, consacrent des millions chaque année au football et à d'autres loisirs.

Dans un pays riche, vous avez toutes vos chances. Cependant, n'oubliez pas que vous n'aurez rien pour rien.

RÉSUMÉ:

Quatres principes dynamiques vous aident à constituer un « cerveau collectif » qui augmentera considérablement vos possibilités d'enrichissement.

Vous pouvez faire appel à des êtres qui vous inspireront, vous feront bénéficier de leurs lumières, partageront votre foi et la fortifieront.

Exploitez les 11 secrets du chef idéal; examinez les 10 raisons pour lesquelles les chefs échouent; éloignez toute influence négative; étudiez les 6 domaines dans lesquels on a besoin de nouveaux chefs et les 5 façons d'obtenir un bon emploi dans n'importe quelle branche.

Rédigez votre curriculum vitae selon le plan qui vous est donné et toutes les portes vous seront ouvertes; les employeurs vous offriront des situations importantes et bien rémunérées.

La prospérité américaine est bâtie sur le capital qui n'est pas très différent en principe du capital illimité que vous avez en vous.

*LE SUCCÈS N'A PAS BESOIN D'EXPLICATION.
L'ÉCHEC N'ADMET PAS LA JUSTIFICATION*

CHAPITRE 8

Septième étape vers la richesse: la décision

Vous y verrez comment prendre rapidement une décision. Vous comprendrez comment et quand il convient de la modifier.

Après avoir étudié plus de 25.000 insuccès d'hommes et de femmes, on a pu démontrer que le manque de décision venait presque toujours en tête de la liste des 31 causes majeures de l'échec.

L'indécision est un ennemi que, presque tous, nous avons à vaincre.

Lorsque vous aurez achevé la lecture de ce livre, et que vous serez prêt à en appliquer les principes, vous aurez une occasion de tester votre aptitude à prendre des décisions *rapides et définitives.*

En se penchant sur le cas de plusieurs centaines de personnes qui ont fait fortune, on s'aperçoit que *toutes* avaient l'habitude de prendre leurs décisions très rapidement et d'en changer difficilement. Tous ceux qui n'arrivent pas à faire fortune, *sans exception,* ont besoin de *beaucoup de temps* pour prendre leurs décisions et de *très peu pour les modifier, ce que d'ailleurs ils ne cessent de faire.*

L'une des caractéristiques les plus remarquables d'Henry Ford était l'*habitude* de se décider rapidement et de changer d'avis difficilement. Cette qualité était si ancrée en lui qu'elle le faisait passer pour obstiné. C'est elle qui le poussa à continuer la fabrication de son fameux modèle T (la voiture la plus laide du monde!) alors que tous ses conseillers et plusieurs acheteurs le pressaient de le remplacer.

Peut-être M. Ford tarda-t-il trop à les écouter mais, d'un autre côté, la fermeté de sa décision lui rapporta une fortune avant que le changement de modèle ne devînt *inéluctable.* Il est probable que dans l'habitude de M. Ford de toujours s'en tenir à ses décisions, il y avait une part d'obstination, mais il est mille fois préférable d'être obstiné que de ne pouvoir se décider rapidement ou de revenir sur une décision qui vient d'être prise.

L'opinion: une denrée bon marché

La plupart des gens qui échouent dans leur tentative de gagner beaucoup d'argent sont généralement très influençables. Ils pensent selon la voix des journaux et les commérages des voisins. Les opinions sont les denrées les moins chères. Chacun de nous en a une foule à faire partager aux autres. Si vous vous laissez influencer lorsque vous avez à prendre une décision, vous n'arriverez à rien de bien. Vous ne concrétiserez pas votre désir d'argent.

Si vous êtes influencé par les opinions des autres, vous n'aurez pas de désir propre.

Lorsque vous mettrez en pratique les principes contenus dans ce livre, *vous prendrez vous-même vos décisions* et vous vous y tiendrez. Vous n'en parlerez à personne sauf aux membres de votre « cerveau collectif » et soyez bien sûr, lorsque vous choisirez ces derniers, que tous éprouveront enthousiasme et sympathie à l'égard de votre dessein.

Les amis intimes et les parents, bien que ce ne soit pas là leur intention, freinent souvent nos élans en donnant leurs propres opinions ou, par esprit de malice, en se moquant des nôtres. Des milliers d'hommes et de femmes traînent toute leur vie des complexes d'infériorité parce qu'une personne bien intentionnée, mais sotte, a détruit leur confiance en eux par ses opinions et ses moqueries.

Vous avez un cerveau et un esprit qui vous sont propres. Utilisez-les et sachez prendre seul vos décisions. Si vous avez besoin d'un conseil, ce qui peut arriver, adressez-vous à qui de droit discrètement, et sans révéler vos intentions précises.

Ceux qui ont peu d'instruction essaient souvent de faire croire aux autres qu'ils en ont beaucoup. Ils parlent trop et n'écoutent pas assez. Si vous voulez prendre l'habitude de vous décider rapidement, ouvrez les yeux et les oreilles et fermez la bouche! Ceux qui parlent beaucoup agissent peu. Si vous parlez plus que vous n'écoutez, vous ne vous privez pas seulement de nombreuses occasions d'apprendre quelque chose d'utile, mais en plus vous dévoilez vos plans et vos desseins à des gens qui, parce qu'ils vous envient, prendront un malin plaisir à vous faire échouer. Chaque fois que vous parlez en présence d'une personne très cultivée, vous lui permettez de mesurer le degré exact de votre propre culture, et le plus souvent ce sera à votre désavantage!

C'est dans *la modestie et le silence* que réside la vraie sagesse. Souvenez-vous en.

Ne perdez pas de vue que toute personne avec qui vous vous associez cherche comme vous un moyen de faire fortune. Si vous parlez trop librement de vos plans, vous aurez peut-être la mauvaise surprise de les voir profiter à un autre que vous.

Les décisions ont fait l'histoire

La valeur d'une décision dépend du courage qu'il faut pour la prendre. Les grandes décisions qui font progresser la civilisation sont prises par des hommes qui assument un risque susceptible de les conduire à la mort. La décision de publier la Proclamation d'Emancipation, qui donna la liberté au peuple noir d'Amérique, fut prise par Lincoln alors qu'il n'ignorait pas que des milliers de supporters politiques et d'amis se retourneraient contre lui.

Non seulement Socrate fut courageux de s'empoisonner plutôt que de renier ses idées, mais son geste fit avancer le temps de mille ans et prépara la liberté de pensée et d'expression pour un peuple qui n'était pas encore né.

Quand le général Robert E. Lee embrassa la cause des Sudistes, il savait que cette décision pourrait lui coûter la vie et allait obligatoirement en coûter bien d'autres.

Un incident à Boston

La plus grande décision de toute l'histoire de l'Amérique a été prise à Philadelphie, le 4 juillet 1776, lorsque 56 hommes signèrent un document, sachant qu'il pourrait aussi bien apporter la liberté à tous les Américains qu'en faire pendre 56 haut et court.

Vous avez certainement entendu parler de ce document, mais peut-être n'en avez-vous pas tiré la grande leçon de réussite qu'il comporte.

Nous nous rappelons la date de l'évènement mais nous réalisons mal la somme de courage qui le prépara. Nous nous souvenons du récit tel qu'il nous fut rapporté, nous nous souvenons des dates et des hommes qui en furent les héros. Nous nous souvenons de Valley Forge et de Yorktown, de George Washington et de Lord Cornwallis. Mais nous ne savons rien du pouvoir qui nous assura la liberté *bien avant que l'armée de Washington n'atteignît Yorktown.* Il est regrettable que les historiens n'aient pas fait état de l'irrésistible pouvoir qui permit l'apparition dans le monde d'un pays qui allait établir de nouvelles lois d'indépendance et faire école. Je répète que c'est regrettable parce que, pour surmonter les difficultés de la vie, ce pouvoir est celui dont tout individu doit se servir.

Revoyons brièvement les faits.

Tout commença à Boston, le 5 mars 1770. Des soldats britanniques patrouillaient dans les rues au milieu des passants qui, n'appréciant pas du tout ces hommes armés, leur exprimèrent leur mécontentement par jets de pierres et injures. Arriva le moment où ils reçurent l'ordre de charger. Il y eut de nombreux morts et plus encore de blessés. L'incident provoqua un tel ressentiment que l'Assemblée provinciale, composée de colons influents, se réunit pour prende une décision. Deux membres de l'Assemblée: John Hancock et Samuel Adams déclarèrent qu'il fallait jeter les soldats britanniques hors de Boston. C'était une décision dangereuse qui nécessitait foi et courage. Avant la fin de la séance, Samuel Adams était chargé de rencontrer le gouverneur Hutchinson et de lui demander le retrait de ses troupes. La demande agréée, les troupes quittèrent Boston sans clore l'incident. Il avait créé une situation qui devait modifier le cours de l'Histoire.

Le « cerveau collectif » entre en action

Richard Henry Lee correspondait fréquemment avec Adams; ils échangeaient leurs espoirs et leurs craintes au sujet du bien-être de leurs provinces respectives. Cette correspondance donna à Adams l'idée d'un courrier semblable entre les 13 colonies, créant ainsi un lien entre elles et les aidant à résoudre leurs problèmes. Deux ans après l'effusion de sang de Boston, Adams proposa à l'Assemblée un Comité de correspondance avec nomination de représentants pour chacune des colonies.

Tel fut le début de la puissante organisation qui fit de l'Amérique un pays libre. Le « cerveau collectif » était composé d'Adams, de Lee et de Hancock.

Le Comité de correspondance fut constitué. Jusque-là la lutte des coloniaux n'avait pas été organisée; cette « petite guerre » se traduisait par des émeutes du genre de celle de Boston et n'apportait rien de constructif. Les griefs individuels n'avaient pas été exploités sous la direction d'un « cerveau collectif ». Jusqu'à l'initiative d'Adams, Hancock et Lee, aucun groupe ne s'était formé pour régler, une fois pour toutes, les différends avec les Britanniques.

Cependant, ces derniers ne restaient pas inactifs; eux aussi avaient leur plan et leur « cerveau collectif », avec l'avantage que donnent l'argent et une armée régulière.

Une décision immédiate change le cours de l'Histoire

Pour remplacer Hutchinson, la Couronne nomma Gage au poste de gouverneur du Massachusetts. Son premier geste fut d'envoyer un messager chez Samuel Adams pour le sommer de rentrer dans l'ordre. Pour mieux comprendre la suite, écoutons la conversation telle qu'elle s'engagea entre le Colonel Fenton (le messager de Gage) et Adams: Le Colonel Fenton: « Je viens de la part du gouverneur Gage vous assurer, M. Adams, qu'il a plein pouvoir pour vous faire tenir tout ce que vous voudrez (tentative de corruption) si, au préalable, vous levez votre opposition aux mesures qu'il a prises. Il vous donne, Monsieur, un conseil d'ami, celui de ne pas attirer sur vous le courroux de Sa Majesté. Votre conduite tombe sous le coup d'une loi édictée par Henry VIII: Est envoyé en Angleterre pour y être jugée, toute personne que le gouverneur d'une province décrète coupable de trahison. Si vous changez de politique, non seulement vous en retirerez de grands avantages, mais vous serez en paix avec votre Roi. » .

Samuel Adams avait le choix de la décision: lever son opposition et accepter les pots-de-vin ou la reconduire et courir le risque d'être pendu. Il demanda au Colonel Fenton de lui promettre sur l'honneur de répéter au gouverneur les termes exacts de sa réponse:

« Dites au gouverneur Gage que, depuis longtemps, je suis en paix avec le Roi des Rois. Aucune considération personnelle ne pourra me faire abandonner la juste cause de mon pays. Et veuillez ne pas oublier mon conseil d'ami, ne portez plus atteinte aux sentiments d'un peuple exaspéré. »

Irrité par le propos d'Adams, Gage fit placarder l'avis suivant: « Au nom de Sa Majesté, j'offre et je promets Son très gracieux pardon à ceux qui, séance tenante, déposeront les armes et accompliront leurs devoirs de paisibles sujets. Toutefois Samuel Adams et John Hancock ne bénéficieront pas de ce pardon, leur infâme conduite ne méritant qu'un juste châtiment. »

De nos jours on dirait qu'Adams et Hancock étaient « dans le bain » jusqu'au cou! Sous la menace du gouverneur, ils prirent une nouvelle décision, tout aussi dangereuse que la première. Rapidement et en secret ils réunirent leurs plus fidèles partisans. Lorsque tout le monde fut là, Adams verrouilla la porte, mit la clé dans sa poche et décréta que personne ne quitterait la pièce avant que ne soit prise, à l'unanimité, la décision de réunir en Congrès tous les colons.

Un brouhaha suivit. Tout le monde était très excité. Les uns envisageaient les conséquences d'un tel radicalisme, les autres exprimaient leurs doutes quant à la sagesse d'une *décision si précise* qui défiait la Couronne. Seuls deux hommes, Adams et Hancock, restaient insensibles à la peur et à la possibilité d'un échec. Leur influence était telle que peu à peu les autres acceptèrent leur solution. Par l'intermédiaire du Comité de correspondance, tout était mis en oeuvre pour réunir le Premier Congrès Continental à Philadelphie, le 5 septembre 1774.

N'oubliez pas cette date. Elle est plus importante que celle du 4 juillet 1776. Si la *décision* de tenir un Congrès Continental n'avait pas été prise, la Déclaration d'Indépendance n'aurait jamais pu être signée.

Avant la première réunion du Congrès, dans la province de Virginie, un autre chef de file publiait un livre explosif intitulé: *Vue sommaire des Droits de l'Amérique britannique*. C'était Thomas Jefferson (qui deviendra le troisième Président des Etats-Unis) dont les relations avec Lord Dunmore, le représentant de la Couronne en poste dans cette région, étaient aussi tendues que celles d'Adams et d'Hancock avec leur gouverneur.

Peu après la publication de son livre, Jefferson apprit qu'il était poursuivi pour haute trahison envers le gouvernement de Sa Majesté.

Ce sont ces hommes qui, sans pouvoir, sans autorité, sans armée, sans argent, dès l'ouverture du Premier Congrès Continental, et ensuite pendant deux ans, à intervalles réguliers, statuèrent sur le sort des colonies. Ceci jusqu'au 7 juin 1776, date à laquelle Richard Henry Lee s'adressa en ces termes à la jeune Assemblée et à son Président:

« Messieurs, je soumets à votre approbation la motion suivante: les Colonies Unies sont et doivent de droit être des Etats indépendants, libérés de toute obéissance envers la Couronne britannique et de tout lien politique avec l'Etat de Grande-Bretagne ».

Thomas Jefferson lit à haute voix

L'étonnante proposition de Lee fut débattue fiévreusement et si long-temps que son auteur perdit patience. Et, après plusieurs jours de délibé-rations, il reprit la parole et s'écria d'une voix ferme et claire: « M. le Président, nous avons discuté des journées entières sur cette proposition. Elle est notre seule issue. Alors, pourquoi attendre davantage? Que cet heureux jour donne naissance à une République américaine dont le but ne sera pas de dévaster ou de conquérir, mais de rétablir le règne de la paix et de la loi ».

Avant le vote final de la proposition, Lee fut rappelé en Virginie auprès d'un membre de sa famille gravement malade; mais avant de partir, il remit sa cause entre les mains de son ami, Thomas Jefferson, qui promit de lutter jusqu'à ce qu'une décision favorable intervînt Peu après, le Président du Congrès, Hancock, nommait Jefferson Président du Comité chargé de rédiger la Déclaration d'Indépendance.

Le Comité travailla longtemps à l'élaboration d'un document d'autant plus difficile à rédiger que chaque homme qui le signerait, après son acceptation par le Congrès, signerait en même temps son arrêt de mort au cas où, dans la bataille inévitable qui opposerait les colonies à la Grande-Bretagne, celle-ci remporterait la victoire.

Le 28 juin, le manuscrit était lu devant le Congrès. Pendant plusieurs jours, on en discuta les termes, on en modifia quelques passages et enfin, le document fut prêt. Le 4 juillet 1776, Thomas Jefferson, debout devant l'Assemblée, lisait à haute voix la Déclaration née de la décision la plus importante qui fut jamais prise.

Votée, la Déclaration fut signée par les 56 hommes qui risquaient ainsi leur vie. Sachez bien que c'est leur *esprit de décision* qui assura le succès des armées de Washington. Il était dans le coeur de chaque com-battant. Et le pouvoir de l'esprit fait reculer la défaite et la rend im-possible.

Notez également que le pouvoir qui permit à cette nation de gagner sa liberté est celui que peut utiliser tout homme déterminé. Ce pouvoir illustre l'application des principes exposés par ce livre. Découvrez, par le récit historique de la Déclaration d'Indépendance, que *le désir, la décision, la foi, la persévérance, l'élaboration de plans et l'efficacité du « cerveau collectif »* ont été les 6 causes qui ont déterminé la victoire.

Le pouvoir d'un esprit décidé

Tout au long de cet ouvrage, il vous sera répété qu'une pensée doublée d'un désir ardent tend à se transformer en son équivalent physique. On peut trouver dans la genèse de la Déclaration d'Indépendance et dans celle de l'United States Steel Corporation une description parfaite de la méthode par laquelle la pensée se concrétise.

Recherchez le secret de cette méthode, mais n'attendez pas un miracle. Vous ne trouverez que les lois éternelles de la nature dont n'importe quel homme peut se servir s'il a assez de foi et de courage. Elles doivent être utilisées pour libérer un pays comme pour faire fortune. Ceux qui prennent leurs décisions rapidement et définitivement, savent ce qu'ils veulent et généralement l'obtiennent. Un chef décide toujours vite et sûrement. C'est pour cela qu'il en est un. Le monde a l'habitude de gâter celui dont les mots et les actes prouvent qu'il sait où il va.

L'indécision est généralement une habitude de jeunesse. De plus en plus tenace, elle influence l'étudiant dans le choix de son métier, si tant est qu'il arrive à en choisir un! Très souvent, le jeune homme qui vient de terminer ses classes accepte, parce qu'il est indécis par habitude, le premier emploi qu'on lui propose. 98 % des petits salariés actuels doivent leur situation au fait qu'ils ont manqué de décision et de jugement lorsqu'il s'est agi de la choisir.

Etre précis dans ses décisions demande du courage. Il en faut quelquefois beaucoup. Les 56 hommes qui ratifièrent la Déclaration d'Indépendance risquèrent leur vie en apposant leur signature au bas de ce document. La fortune et une situation professionnelle bien assise ne sont pas à la portée de celui qui néglige ou qui refuse de les préparer par des plans et de les solliciter. Est assuré de faire fortune celui qui le désire, comme Samuel Adams désirait l'indépendance des colonies.

RÉSUMÉ:

Le manque de décision est une des causes premières de l'échec. Tout le monde a une opinion, mais finalement c'est la *vôtre* qui guide votre vie. La décision prise à Philadelphie en 1776 doit être un exemple de la force et de la confiance en soi que vous pouvez développer.

Un esprit décidé fait naître un pouvoir extrêmement puissant. L'indécision commence quand on est jeune; il y a manière de l'éviter.

Si vous voulez un guide pour toute votre vie analysez les événements qui ont été à l'origine des grandes décisions.

Un grand désir de liberté apporte la liberté; un grand désir de richesse conduit à la richesse.

TOUT HOMME PUISSANT
TIRE SA PUISSANCE
DE LUI-MÊME

CHAPITRE 9

Huitième étape vers la richesse: la persévérance

Vous reconnaîtrez les faiblesses qui vous empêchent d'atteindre le but que vous vous êtes fixé, et vous les balaierez.

Votre persévérance développe progressivement un pouvoir reconnu et respecté.

La persévérance est l'un des facteurs essentiels à la transformation du désir d'argent en son équivalent matériel; à l'origine de la persévérance il y a le pouvoir de la volonté.

Conjugués, le pouvoir de la volonté et le désir sont irrésistibles. Les hommes qui gagnent de grosses fortunes donnent souvent l'impression d'être durs et froids. La plupart du temps, on ne les comprend pas. Au pouvoir de la volonté ils allient la persévérance et c'est avec ces deux qualités qu'ils assurent la réalisation de leur désir.

La plupart des gens sont prêts à abandonner buts et projets au premier signe d'opposition ou d'échec. Il y en a très peu qui, malgré les obstacles, persévèrent jusqu'à ce qu'ils atteignent leur but.

Le mot « persévérance » n'a pas valeur d'héroïsme. C'est une qualité qui est au caractère de l'homme ce que le carbone est à l'acier.

La constitution d'une fortune demande généralement l'application de 13 principes de base qui doivent être compris et appliqués avec persévérance.

Un désir tiède apporte de maigres résultats

Si vous lisez ce livre dans l'intention d'en appliquer l'enseignement, la meilleure façon de tester votre persévérance sera de suivre à la lettre les 6 enseignements du second chapitre. A moins que vous ne soyez l'un des deux individus sur dix qui possèdent déjà un plan précis tracé dans un but précis. Lisez ces instructions, faites-en une routine quotidienne et n'oubliez jamais de les appliquer.

Le manque de persévérance est l'une des causes les plus importantes d'échec. Cependant, l'expérience a prouvé que la plupart des gens souffrent de cette faiblesse. On peut lutter contre elle, et on y arrive d'autant plus facilement que le désir de la vaincre est plus grand.

Le désir est à l'origine de toute entreprise. Ne l'oubliez jamais. Un petit désir n'apporte que de maigres résultats, de même qu'un petit feu donne peu de chaleur. Si vous manquez de persévérance, combattez cette faiblesse en stimulant votre désir jusqu'à ce qu'il devienne obsessionnel. Lisez ce livre jusqu'au bout, puis revenez au chapitre qui traite du désir et appliquez immédiatement les 6 instructions qui vous sont données. L'ardeur avec laquelle vous les suivrez indiquera clairement la qualité de votre désir. Si vous vous sentez plus ou moins indifférent, vous n'avez pas encore cette « volonté d'argent » indispensable à qui veut faire fortune.

De même que l'eau est attirée par l'océan, la fortune est attirée par ceux qui ont préparé leur esprit à la recevoir.

Si vous vous rendez compte que vous n'arrivez pas à persévérer, suivez les instructions réunies au chapitre qui traite du « cerveau collectif » et organisez le vôtre. Grâce aux efforts coopératifs de ses membres, vous développerez votre persévérance. Dans les chapitres sur l'autosuggestion et le subconscient, vous trouverez d'autres instructions dans ce sens. Suivez-les jusqu'à ce que votre subconscient ait une image claire de l'objet de votre désir. Alors vous ne serez plus gêné par le manque de persévérance.

Que vous soyez éveillé ou endormi, votre subconscient travaille en permanence.

La magie de la « volonté d'argent »

Une application occasionnelle de ces règles ne donnerait aucun résultat. Vous devez les observer continuellement jusqu'à ce que cette discipline devienne pour vous une seconde nature. D'aucune autre manière vous ne pourrez développer votre « volonté d'argent ».

La pauvreté s'empare facilement d'un esprit que n'occupe pas la « volonté d'argent », car elle n'a pas besoin, pour s'installer, d'un esprit préparé à la recevoir. Quiconque n'est pas né avec cette « volonté d'argent » doit la créer de toutes pièces.

Avez-vous compris la signification exacte du paragraphe précédent? Dans l'affirmative, vous pouvez comprendre le rôle de la persévérance dans la création d'une fortune. Sans persévérance vous échouerez avant d'avoir commencé.

Vous avez déjà eu des cauchemars. En voici un qui peut vous aider à comprendre toute la valeur de la persévérance: vous êtes au lit, à demi inconscient, et vous avez l'impression que vous étouffez. Vous n'êtes pas capable de bouger le petit doigt et vous réalisez que vous devez reprendre le contrôle de vos muscles. Par des efforts persévérants de volonté, vous arrivez à mouvoir les doigts d'une main. En persistant, vous étendez votre contrôle aux muscles de votre bras que vous parvenez à lever. Puis, de la même façon, vous parvenez à maîtriser l'autre main et l'autre bras, une jambe, puis l'autre. Enfin, vous contrôlez tout votre système musculaire et émergez du cauchemar. Vous y êtes parvenu peu à peu.

Vous avez un « guide caché »

C'est également peu à peu que votre esprit vaincra son inertie. Très lentement au début, puis plus rapidement vous contrôlerez votre volonté. Soyez persévérant.

Choisissez soigneusement les membres de votre « cerveau collectif » afin qu'une personne au moins puisse vous aider à développer votre persévérance. Certains sujets y furent *contraints* par les circonstances.

Ceux qui ont cultivé l'habitude de la persévérance, ont acquis une assurance contre l'échec. Peu importe le nombre de leurs défaites, car finalement ils remportent la victoire. Parfois, il semble qu'un « guide caché » teste les hommes par toutes sortes d'épreuves. Ceux qui s'en relèvent et ne se découragent pas atteignent leur but.

Le « guide caché » ne vous laisse rien entreprendre sans éprouver votre persévérance. Ceux qui ne le comprennent pas, n'avancent pas.

Ceux qui l'ont compris, par contre, sont magnifiquement récompensés. Ils reçoivent ce qu'ils ont désiré. Ce n'est pas tout! Ils reçoivent encore quelque chose de bien plus important: la preuve que tout échec porte en soi le germe d'un avantage.

La défaite: une condition passagère

Il y a des exceptions à la règle. Quelques personnes savent par expérience ce que vaut la persévérance. Ce sont celles qui n'ont pas retenu pour définitive une défaite passagère, celles dont les désirs sont animés d'une ardeur et d'une constance telles que la défaite se change en victoire. Elles sont peu nombreuses celles qui voient en la défaite *un appel urgent à redoubler d'effort*. C'est alors qu'irrésistible et silencieuse, une force vient à leur aide pour lutter contre le découragement. Cette force n'est autre que la persévérance. Examinons-la. Nous savons déjà que, sans elle, et dans quelque domaine que ce soit, aucun succès n'est possible.

Ayant écrit ces lignes, je lève les yeux de mon papier et regarde devant moi la grande et mystérieuse Broadway, à la fois cimetière de tant d'espoirs et porte de la chance. Du monde entier des gens sont venus y chercher fortune, célébrité, puissance, amour et tout ce qui fait la réussite de l'homme. De temps en temps, une personnalité se détache de la masse et le monde apprend qu'à nouveau quelqu'un a maté Broadway. Mais Broadway n'est ni facile ni rapide à conquérir. Elle reconnaît le talent, le génie, mais ne paie en espèces que les *persévérants*, ceux qui ont refusé de l'abandonner.

Comment conquérir Broadway? C'est un secret. Il nous est révélé dans la lutte que mena Fanny Hurst avec sa plume. Arrivée à New-York en 1915, elle n'y réussit pas immédiatement. Pendant 4 ans elle passa ses journées à travailler et ses nuits à espérer. Lorsque son espoir se réduisit pratiquement à néant, elle ne se dit pas: « Très bien, Broadway, tu as gagné! » mais: « Je sais, Broadway, que tu en as dévoré d'autres, mais moi je suis décidée à ne pas me laisser faire et tu ne m'auras pas! » Un éditeur lui renvoya maintes fois ses manuscrits avant d'en accepter un et de le publier. La plupart des écrivains auraient abandonné la partie à la suite du premier refus. Mais, parce qu'elle était décidée à gagner, elle tint bon 4 ans.

Le « guide caché » mit Fanny Hurst à l'épreuve, elle surmonta les obstacles, et ce furent les éditeurs qui la sollicitèrent. Elle gagna tant d'argent et si vite qu'elle arrivait à peine à le compter. Puis les producteurs de cinéma s'intéressèrent à son oeuvre et les gains se multiplièrent. Le cas de Fanny Hurst n'est pas exceptionnel. Soyez certain que les titulaires d'une grosse fortune, personnellement amassée, ont dû, en premier lieu, acquérir la persévérance.

La persévérance est à la portée de tous

La persévérance est un état d'esprit, elle peut donc se cultiver. De même que tous les états d'esprit, elle a des origines précises, dont:

1. *La précision de l'intention*: Pour développer la persévérance, il est primordial de savoir ce que l'on veut. Une intention bien ancrée oblige à surmonter de nombreuses difficultés.

2. *Le désir*: Quand on poursuit l'objet d'un ardent désir, il est facile d'acquérir et de maintenir la persévérance.

3. *La foi en soi*: Croire en sa propre aptitude à mener à bien un plan encourage à le suivre avec persévérance (la foi en soi peut être développée par l'autosuggestion; voir le chapitre qui en traite).

4. *La précision des plans*: Des plans organisés, même s'ils révèlent mauvais et absolument irréalisables, sont un encouragement à persévérer.

5. *Des connaissances adéquates*: Le fait de savoir que nos plans sont bons par expérience et observation, est un encouragement à persévérer; supposer au lieu de savoir détruit la persévérance.

6. *La coopération*: La sympathie, la compréhension des autres et leur coopération harmonieuse ont tendance à développer la persévérance.

7. *Le pouvoir de la volonté*: L'habitude de concentrer nos pensées sur l'élaboration des plans indispensables à la réalisation du but poursuivi conduit à la persévérance.

8. *L'habitude*: La persévérance est le résultat direct de l'habitude. L'esprit absorbe les expériences de la journée; il s'en nourrit. La peur, le pire de tous les ennemis, peut être entièrement guérie par la *répétition imposée d'actes de courage*. Le savent tous ceux qui ont fait du service actif pendant la guerre.

Les ennemis de la persévérance; en voici 16

Avant d'en terminer avec la persévérance, faites votre propre inventaire, courageusement, point par point, et voyez dans quelle mesure la persévérance vous fait défaut. Cette analyse vous conduira peut-être à des découvertes qui vous donneront une nouvelle prise sur vous-même.

Vous trouverez ici les vrais ennemis qui vous barrent le chemin de toute réalisation importante. Vous découvrirez non seulement la faiblesse de votre persévérance, mais enfouies dans votre subconscient les causes de cette faiblesse. Analysez-vous franchement si vous voulez vraiment savoir qui vous êtes et ce que vous êtes capable de faire. Voici les faiblesses qui doivent être vaincues par tous ceux qui cherchent à faire fortune:

1. L'impossibilité de reconnaître et de définir clairement ce que l'on veut.

2. L'hésitation généralement appuyée par un flot remarquable d'alibis et d'excuses;

3. Le manque d'envie d'acquérir un enseignement spécialisé.

4. L'indécision, l'habitude de laisser les autres prendre toutes les décisions qui vous incombent.

5. L'habitude de se reposer sur des excuses au lieu de créer des plans précis pour trouver une solution à son problème.

6. Le contentement de soi. Il n'y a malheureusement rien à faire contre cette maladie.

7. L'indifférence qui se manifeste habituellement par la recherche systématique de compromis là où il y aurait lieu de faire face aux obstacles et d'essayer de les franchir.

8. L'habitude de critiquer les erreurs des autres et d'accepter des circonstances défavorables comme inévitables.

9. La tiédeur d'un désir qui vient de ce qu'on néglige le choix des intentions.

10. La volonté, et même parfois la hâte, d'abandonner au premier signe de défaite.

11. L'absence de plans organisés et soigneusement rédigés pour pouvoir être mieux étudiés.

12. L'habitude de négliger l'occasion qui se présente.

13. Souhaiter au lieu de vouloir.

14. L'habitude d'établir des compromis avec la pauvreté au lieu de

vouloir la fortune. Le manque total d'ambition *d'être, d'agir, de posséder.*

15. La quête de raccourcis menant à la fortune; essayer de prendre sans rien donner.

16. La peur d'être critiqué, la peur du « qu'en dira-t-on » qui fait échouer tout essai d'élaboration ou d'application de plans. Cet ennemi numéro 1 existe généralement dans le subconscient où sa présence ne se remarque pas. (Voir dans un des chapitres suivants les 6 sortes fondamentales de peur.)

Tout le monde peut critiquer

Examinons la peur d'être critiqué. La plupart des gens permettent à leurs parents, à leurs amis et aux autres de les influencer à tel point qu'ils n'osent vivre leur propre vie de peur d'être critiqués.

De nombreuses personnes font de mauvais mariages, s'entêtent et sont toute leur vie malheureuses parce que, de peur d'être critiquées, elles n'osent pas divorcer. Celui qui a subi le joug de cette sorte de peur sait l'irréparable dommage qu'elle commet en détruisant toute ambition et tout désir de réussite.

Des millions de gens, après avoir quitté l'école, renoncent à un enseignement complémentaire par peur d'être critiqués.

Des hommes et des femmes de tout âge permettent à leurs parents de briser leur vie par peur de la critique. Or le devoir n'exige pas la destruction des ambitions personnelles.

Par peur d'être critiqués s'ils échouent, des gens refusent de saisir leur chance en affaires. *La peur des critiques est, dans ce cas, plus forte que le désir de la réussite.*

Trop d'individus renoncent aux visées ambitieuses ou négligent de choisir la profession qui les tente, de crainte que parents et faux amis ne disent: « Il est fou! Qu'est-ce que les gens vont penser... »

Lorsqu'Andrew Carnegie me suggéra de consacrer 20 ans de ma vie à l'élaboration d'une philosophie du succès, ma première réaction fut: « Qu'est-ce que les gens vont en penser? » Quelque chose en moi me disait: « C'est un gros travail qui demande trop de temps. — Tu n'y arriveras pas! — Et comment gagneras-tu ta vie? — Personne ne s'est essayé à établir une philosophie du succès, quel droit as-tu de t'en croire capable? — Souviens-toi de ton humble origine — Que sais-tu de la philosophie? Les gens vont te prendre pour un fou (ils n'y manquèrent pas!) Est-ce une bonne idée celle que jamais personne n'a réalisée? »

Ces questions et beaucoup d'autres assaillirent mon esprit et m'obligèrent à réfléchir. Si je donnais suite à la suggestion de Carnegie, il me semblait que le monde entier me ridiculiserait.

J'avais là une belle occasion de tuer toute ambition. Plus tard, après avoir étudié des milliers de personnes, je découvris que la plupart des idées sont mortes-nées. La vie leur est insufflée par les plans précis d'une action immédiate. La plupart des idées sont anéanties dans l'oeuf par la peur de la critique.

Ils fabriquent eux-mêmes leurs « coups de chance »

Beaucoup de personnes vous diront que le succès matériel est fonction de « coups de chance ». Mais ceux qui ne comptent que sur la chance sont généralement déçus parce qu'ils ne savent pas que les « coups de chance » se fabriquent sur mesure.

Durant la grande crise, le comédien W. C. Fields perdit son argent et se retrouva sans revenu et sans travail, le vaudeville ayant été rayé du théâtre. Il avait plus de 60 ans; à cet âge beaucoup d'hommes se considèrent comme déjà vieux. Il était si pressé de retourner sur les planches qu'il frappa à la porte d'une industrie naissante, le cinéma parlant, pour y offrir gracieusement ses services. Il tomba et se blessa au cou. A sa place, bien des gens auraient renoncé à leur projet. Mais Fields était persévérant. Il savait que s'il s'obstinait il aurait sa chance un jour ou l'autre et il l'eut!

On ne peut compter que sur la chance que l'on provoque. Et on ne peut la provoquer que par la persévérance, sachant au départ vers quel but on tend.

Ce que chacun voulait c'était l'autre

Il était une fois un homme souverain d'un grand empire. Cependant, dans son coeur, il ne se sentait pas un roi mais un homme seul. En tant que Prince de Galles, il avait songé à se marier. Toutes les princesses d'Europe entretenaient de secrets espoirs. Il vécut à sa guise pendant plus de 40 ans et quand il devint Edouard VII, il se trouva face au vide qu'il ressentait et que ses sujets ne pouvaient comprendre; un vide que seul l'amour pouvait combler.

Que dire de Wallis Simpson? Après deux échecs matrimoniaux, elle persistait dans sa recherche de l'amour qu'elle estimait être le premier devoir ici-bas. Qu'y a-t-il de plus grand?

Quand vous penserez à elle dorénavant, que ce soit à une femme qui savait ce qu'elle voulait et qui, pour l'avoir, fit trembler un grand empire. Femmes, qui vous plaignez de ce que ce monde soit fait par et pour les hommes, étudiez soigneusement la vie de celle qui, à l'âge où les autres se croient déjà vieilles, conquit le coeur du célibataire le plus convoité.

Que dire du roi Edouard? Paya-t-il trop cher l'amour de la seule femme qu'il voulait?

Il ne nous appartient pas de répondre; cependant, nous pouvons apprécier la qualité de sa *décision* et le prix qu'elle a coûté.

Le Duc et la Duchesse de Windsor se réconcilièrent finalement avec la famille royale. Leur histoire d'amour, leur *persévérance*, semblent d'une autre époque.

Etudiez les cent premières personnes que vous rencontrerez, demandez-leur ce qu'elles désirent le plus dans la vie; 98 ne sauront pas quoi répondre. Si vous les pressez de s'exprimer, quelques-unes diront: « la sécurité », beaucoup: « l'argent », peu: « le bonheur », d'autres: « la célébrité et le pouvoir » ou: « un rang dans la société », « être à l'aise dans la vie », « pouvoir danser, chanter, écrire », mais personne ne sera capable d'une précision ou de la plus petite indication quant à un plan préétabli. La richesse ne vient pas en réponse à des souhaits. Elle vient seulement appelée par des plans précis, nés de désirs définis et d'une persévérance constante.

Quatre étapes vers la persévérance

Parcourir ces quatre étapes n'exige ni une intelligence au-dessus de la moyenne, ni une instruction particulière, ni trop de temps ou d'efforts. Ayez:

1. Un but bien précis et le désir ardent de le réaliser.

2. Un plan précis qui s'exprime par une action suivie.

3. Un esprit absolument étanche aux influences pernicieuses ainsi qu'aux suggestions négatives des parents, amis et connaissances.

4. Un lien amical avec celui ou ceux qui vous encourageront à persister dans votre plan et vers votre but.

Il est indispensable au succès, quel qu'il soit, de parcourir ces étapes. Du reste l'énoncé des 13 lois dont traite cette philosophie du succès et la manière de les appliquer insistent sur la nécessité qu'il y a pour l'étudiant d'en faire des *habitudes*.

Grâce à la mise en pratique de ces lois, l'homme contrôle son destin économique, conquiert la liberté et l'indépendance de la pensée, la fortune, le pouvoir, la célébrité, se garantit des « coups de chance », convertit ses rêves en réalités, maîtrise la peur, le découragement, l'indifférence.

Peut-on avoir l'aide de l'Intelligence Infinie?

Quel pouvoir mystique donne aux hommes persévérants la possibilité de vaincre les difficultés? La persévérance suscite-t-elle une certaine forme d'activité spirituelle, mentale ou chimique qui permet d'accéder à des forces surnaturelles? L'Intelligence Infinie soutient-elle celui qui se bat encore alors que la bataille est déjà perdue, et que le monde entier est contre lui?

Ces questions et bien d'autres encore se sont posées à moi quand j'observais des hommes tel qu'Henry Ford, qui commença à zéro et bâtit un empire industriel immense avec pour seul atout la persévérance, ou Thomas Edison qui, avec moins de trois mois d'école, devint le premier inventeur du monde et métamorphosa sa persévérance en machine parlante, en machine pour le cinéma, en lampe incandescente, sans parler d'une cinquantaine d'autre inventions.

J'ai eu l'heureux privilège d'analyser année après année, et pendant longtemps, ces deux hommes singuliers. Je parle en connaissance de cause lorsque je dis que je n'ai trouvé en eux qu'une explication à leur réussite extraordinaire: la persévérance.

Lorsqu'on étudie objectivement les prophètes, les philosophes, les hommes qui accomplirent des miracles et les chefs religieux du passé, une conclusion s'impose: la persévérance, la concentration dans l'effort et la précision du but visé sont à la base de leurs actes.

Considérons par exemple l'histoire étrange et fascinante de Mahomet. Si vous analysez sa vie et la comparez à celle d'hommes qui ont réussi dans notre monde moderne de l'industrie et de la finance, vous remarquerez qu'ils ont un trait saillant en commun: la persévérance.

Si vous êtes intéressé par l'étrange pouvoir qui donne de la force à la persévérance, lisez une biographie de Mahomet de préférence celle qui a été écrite par Essad Bey. Une brève analyse parue dans l'*Herald Tribune* sous la plume de Thomas Sugrue, laisse pressentir l'intérêt de cette lecture.

Le compte rendu de Thomas Sugrue

Mahomet était prophète, mais il ne fit jamais de miracles. Il n'était pas un mystique; il n'avait pas fait d'études spéciales; il ne se révéla qu'à l'âge de 40 ans. Lorsqu'il se présenta comme le « Messager de Dieu », porteur de la Parole et de la vraie religion, il fut ridiculisé et traité de fou. Les enfants lui faisaient des crocs en jambe et les femmes lui jetaient des ordures. Il fut banni de sa ville natale, la Mecque, et ses fidèles, dépouillés de leurs biens, le suivirent dans le désert. Après avoir prêché 10 ans, il ne récoltait qu'exil, pauvreté et lazzi. Cependant, avant que 10 autres années ne se fussent écoulées, il était le grand maître de toute l'Arabie, le gouverneur de la Mecque et le chef d'une religion nouvelle qui allait se répandre du Danube aux Pyrénées jusqu'à ce que s'émoussât l'élan qu'il lui avait donné et qui tenait au pouvoir des mots, à l'efficacité de la prière, à l'intimité de l'homme avec Dieu.

Mahomet était issu d'une famille de la Mecque, capitale du négoce, carrefour de routes mais cité malsaine dont les enfants étaient souvent confiés à des Bédouins, partageant la vie des nomades qui les nourrissaient. C'est ainsi que Mahomet après avoir gardé les moutons, devint chef-caravanier pour le compte d'une riche veuve qui l'épousa quand il eut 28 ans, qu'il eut de nombreux voyages à son actif et une connaissance approfondie des hommes.

Il ne lui avait pas échappé que le christianisme initial s'appauvrissait en perdant son unité.

Pendant les 12 années qui suivirent son mariage avec Khadija, Mahomet vécut en riche, sage et respectable marchand. Puis il partit pour le désert, en revint avec le premier verset du Coran et dit à Khadija que l'archange Gabriel lui était apparu et l'avait appelé le Messager de Dieu. Ce qui ressemble le plus à un miracle dans la vie de Mahomet, c'est bien le Coran, la Parole de Dieu. Jamais ce voyageur, ce négociant, n'avait manifesté le moindre don pour la poésie ou l'éloquence. Or les versets du Coran, tels qu'il les reçut et les donna à ses fidèles, étaient l'oeuvre d'un poète. Pour les Arabes, le don des mots est magistral et le poète tout-puissant. De plus, le Coran disait que tous les hommes étaient égaux devant Dieu et que l'Islam devait être un Etat démocratique. Cette hérésie politique et le désir de Mahomet de détruire les 360 idoles de la Casbah furent à l'origine de son exil. Les tribus du désert venaient à la Mecque adorer les idoles, entretenant ainsi la prospérité du commerce. C'est pourquoi les hommes d'affaires de la Mecque se liguèrent contre Mahomet qui avait été des leurs. Il se retira dans le désert pour demander la miséricorde de Dieu sur le monde.

La montée de l'Islam commença. Du désert jaillit une flamme qui ne s'éteindrait pas, une armée démocratique levée comme un seul homme et prête à affronter la mort. Mahomet avait invité les juifs et les chrétiens à se joindre à lui, car il ne bâtissait pas une nouvelle religion, il demandait à tous ceux qui croyaient en un seul Dieu de se réunir, dans une même foi. Si les juifs et les chrétiens avaient accepté sa proposition l'Islam aurait conquis le monde entier. Lorsque les armées du prophète entrèrent dans Jérusalem, les membres des autres confessions eurent la vie sauve. Lorsque les Croisés prirent la ville, des siècles plus tard, ils n'épargnèrent pas un homme, pas une femme, pas un enfant de religion musulmane. Toutefois les chrétiens acceptèrent des musulmans une idée: celle de l'Université, le lieu d'où rayonne le savoir.

RÉSUMÉ:

La persévérance modifie le caractère d'un homme comme le carbone transforme le fer en acier. Avec de la persévérance, développez en vous, comme par magie, les conditions de votre réussite financière.

Un inventaire des huit conditions indispensables à la persévérance vous montrera comment en s'y exerçant, on l'acquiert.

W. C. Fields nous donne une leçon sur la valeur de la persévérance. L'exemple de Mahomet prouve que la persévérance change le cours de l'Histoire.

4 étapes faciles à suivre conduisent à *l'habitude* de la persévérance à condition de rejeter toute influence négative susceptible de vous affecter.

C'EST QUAND LES PAVÉS SONT DURS
QUE L'ON SE REND COMPTE DES
DIFFICULTÉS DE LA ROUTE

CHAPITRE 10

Neuvième étape vers la richesse: le pouvoir du « cerveau collectif »

L'alliance coopérative de l'économie et du psychisme.

Le pouvoir du « cerveau collectif» vous aide à faire fortune et fait prospérer votre argent.

Pour faire fortune le pouvoir est indispensable.

Elaborer des plans est inutile si l'on ne possède pas le pouvoir de les exécuter. Ce chapitre vous expliquera la méthode par laquelle vous acquerrez le pouvoir et en userez.

Le pouvoir peut être défini ainsi: « une connaissance organisée et intelligemment dirigée ». Le pouvoir, dans ce cas, désigne un effort organisé assez important pour permettre à un individu de transformer son désir en son équivalent monétaire. L'effort organisé résulte de la coordination de deux ou plusieurs personnes qui, avec un esprit harmonieux, travaillent dans un but bien défini.

Le pouvoir est nécessaire à qui veut faire fortune. Il est indispensable ensuite pour conserver l'argent acquis.

Voyons comment on peut acquérir le pouvoir. Puisqu'il est « une connaissance organisée », examinons-en les sources:

1. *L'Intelligence Infinie*: Cette source de connaissance peut être obtenue par le procédé décrit dans un autre chapitre et avec l'aide de l'imagination créatrice.

2. *L'expérience collective*: L'expérience collective de l'homme (ou du moins celle qui a été organisée et enregistrée) peut être consultée dans n'importe quelle bibliothèque municipale bien fournie. Une grande part de cette expérience collective est enseignée dans les écoles publiques et dans les facultés, où elle a été classée.

3. *Les études et les recherches*: Dans le domaine de la science et là ou

les hommes ont cherché, trouvé, classifié les faits nouveaux. Il faut se référer à ces sources individuelles lorsque les connaissances ne peuvent s'acquérir à travers l'expérience collective. L'imagination créatrice y joue également son rôle.

Obtenue à partir des sources précitées, la connaissance peut être convertie en pouvoir si elle est utilisée en plans précis qui se traduiront par des actes.

Le secret du succès d'Andrew Carnegie

Le « cerveau collectif » peut être ainsi défini: il est la somme et le résultat des efforts conjugués de deux ou plusieurs individus qui oeuvrent dans un esprit d'harmonie et en vue d'un but précis. Sans la coopération d'un « cerveau collectif » aucun individu ne peut faire état d'un pouvoir valable.

Dans un précédent chapitre, des instructions sont données pour faciliter au lecteur l'élaboration des plans qui transforment le désir en son équivalent matériel. Si vous suivez ces instructions avec persévérance et intelligence, si vous choisissez avec discernement les membres de votre « cerveau collectif », avant même que vous ne vous en rendiez compte, votre objectif sera à demi atteint.

Nous allons maintenant étudier deux particularités du « cerveau collectif », l'une étant d'ordre économique et l'autre d'ordre psychique.

Celui qui s'entoure d'hommes bienveillants, avisés, prêts à l'aider dans un esprit de parfaite harmonie, celui-là bénéficie d'avantages économiques certains. Cette forme d'alliance coopérative est à la base de presque toutes les grosses fortunes. Mieux vous comprendrez cette vérité et plus vite vous verrez fructifier votre compte en banque!

La phase psychique est plus subtile. Si deux esprits s'expriment conjointement, ils libèrent une troisième force invisible et intangible qui peut être comparée à un troisième esprit.

Peut-être la réflexion vous aidera-t-elle à mieux comprendre ce que j'ai voulu dire.

L'esprit humain est producteur d'énergie. Celle-ci, pour une part, demeure d'essence spirituelle. Lorsque deux personnes s'unissent pour travailler dans un esprit d'harmonie, elles dégagent une énergie spirituelle qui est le noyau ou la phase psychique du « cerveau collectif ».

Le principe du « cerveau collectif » me fut révélé par Andrew Carnegie, il y a plus de 50 ans et détermina le choix de ma profession.

Le « cerveau collectif » de M. Carnegie réunissait une équipe d'une cinquantaine de personnes qu'il avait choisies dans le but bien défini de fabriquer et de vendre de l'acier. Il attribuait la totalité de son immense fortune au pouvoir que lui dispensait son « cerveau collectif ».

Tous ceux qui ont fait fortune ont utilisé consciemment ou non le « cerveau collectif ».

De ce principe vous tirerez un grand pouvoir.

Vous pouvez utiliser plus de matière grise que vous n'en avez

Le cerveau de l'homme peut se comparer à une batterie électrique. Il est bien connu que plusieurs batteries connectées produiront plus d'énergie qu'une seule. Il est non moins connu que la quantité d'énergie émise par une seule batterie est fonction du nombre et de la capacité de ses éléments.

Compte tenu de ce que certains cerveaux sont plus efficaces que d'autres, nous pouvons dire qu'un ensemble de cerveaux coordonés harmonieusement produira plus d'énergie qu'un seul.

Par ce rapprochement on comprend immédiatement qu'il faut voir dans l'action du « cerveau collectif » la clé du pouvoir dont témoignent les hommes qui savent bien s'entourer.

A propos de la phase psychique du « cerveau collectif » il faut encore retenir ceci:

Plusieurs cerveaux, s'alliant pour fonctionner harmonieusement, développent une énergie qui profite à chacun des cerveaux de ce groupe.

On sait qu'Henry Ford commença sa carrière commerciale sous des auspices plutôt défavorables. Qu'on en juge: pauvreté, manque d'instruction et ignorance. On sait également qu'en l'espace incroyablement court de 10 ans, M. Ford maîtrisa ces trois handicaps et qu'en 25 ans il devint l'un des hommes les plus riches d'Amérique. Pendant ces 25 années fertiles en succès il devint l'ami intime de Thomas Edison. Comprenez-vous l'influence d'un esprit sur un autre? Ford réalisa ses plus grandes entreprises quand il se lia avec deux hommes extrêmement intelligents, Harvey Firestone et John Burroughs. N'est-ce pas une preuve de plus du pouvoir qui émane d'une association d'esprits frères?

Il faut profiter de la nature, des habitudes et du pouvoir de ceux auxquels on est associé et pour lesquels on éprouve de la sympathie. Grâce à son lien avec Edison, Burbank, Burroughs et Firestone, M. Ford ajouta au pouvoir de son propre cerveau la somme et la substance de l'intelligence, de l'expérience, des connaissances et des forces spirituelles de ces quatre hommes. En fait, il utilisa le principe du « cerveau collectif » en suivant les méthodes décrites dans ce livre.

Ce principe est également valable pour vous

Nous avons déjà mentionné le Mahatma Gandhi.

Son pouvoir exceptionnel peut être expliqué en quelques mots: il l'obtint en faisant coopérer harmonieusement de tout leur corps et de toute leur âme, deux cent millions de personnes, dans un seul but bien précis.

En bref, Gandhi accomplit un miracle, car c'est un miracle de convaincre tout un peuple qu'il faut coopérer harmonieusement. Si vous doutez de la difficulté de l'entreprise, essayez de persuader deux personnes, n'importe lesquelles, de coopérer harmonieusement et ce, pendant le temps qu'elles veulent! D'ailleurs celui qui dirige une affaire sait qu'il est presque impossible d'obtenir de ses employés un travail d'équipe.

Lorsque plusieurs personnes s'associent harmonieusement à des fins précises, elles se préparent, par cette alliance, à tirer force et pouvoir de ce grand centre universel: l'Intelligence Infinie. C'est la plus importante des sources de pouvoir où puisent, consciemment ou non, les génies et les grands chefs.

Les deux autres sources de la connaissance qui mènent au pouvoir ne sont pas plus sûres que nos cinq sens.

Dans les chapitres suivants, vous apprendrez à correspondre avec l'Intelligence Infinie.

Je ne désire pas faire un cours de religion. Aucun des principes, aucune des lois exposés par ce livre ne prétend s'ingérer directement ou indirectement dans une ascèse religieuse. Ce livre n'a d'autre but que d'apprendre au lecteur comment transformer son désir précis d'argent en son équivalent matériel.

Lisez, *réfléchissez* et méditez en lisant. Bientôt le sujet entier se déroulera devant vous et vous en aurez une vue d'ensemble qui vous échappe encore puisque vous assimilez cet ouvrage chapitre par chapitre.

La pauvreté n'a pas besoin de plan

L'argent est timide et méfiant. Il faut lui faire la cour et le gagner par des méthodes qui ressemblent à celles qu'utilise l'amoureux pour conquérir la jeune fille de ses pensées. Aussi étrange que cela paraisse, le pouvoir qui est utilisé pour gagner de l'argent n'est pas très différent de celui qui est mis en oeuvre pour gagner le coeur d'une jeune fille. Ce pouvoir, pour agir et conquérir la richesse, doit être empreint de foi, de désir, de persévérance et être utilisé suivant un plan d'action précis. Quand l'argent afflue, c'est avec l'aisance d'un torrent. Nous avons tous en nous un torrent dont les eaux divergentes coulent vers la richesse et vers la pauvreté.

La pauvreté et la richesse échangent souvent leur place. La richesse prend celle de la pauvreté, par le truchement de plans bien conçus et soigneusement exécutés. La pauvreté n'a pas besoin d'aide; elle est forte et impitoyable. La richesse est timide et réservée. Pour l'avoir il faut « l'attirer ».

RÉSUMÉ:

Le « cerveau collectif » est l'élément qui a le plus contribué aux succès personnels et commerciaux d'Andrew Carnegie. Si vous le désirez, il est à votre portée. Pour obtenir et conserver le pouvoir tout au long de votre vie, il n'est meilleur moyen que l'utilisation de connaissances organisées et dirigées dans un esprit d'harmonie.

L'esprit de l'homme est producteur d'énergie. Quand deux esprits s'associent harmonieusement ils réalisent une « banque » d'énergie et libèrent une troisième force invisible: le pouvoir du « cerveau collectif ».

Pour devenir riche, il est indispensable de tirer des plans et d'organiser ses connaissances. Il est facile de rester pauvre car la pauvreté ne nécessite aucun plan.

Le pouvoir de l'esprit se nourrit à trois sources. Elles sont à votre disposition. Elles peuvent être utilisées à volonté par ceux qui savent comment le faire. Vous êtes de ceux-là.

LE BONHEUR SE TROUVE DANS L'ACTION ET NON PAS DANS LA POSSESSION

CHAPITRE 11

Dixième étape vers la richesse: le mystère de la transmutation sexuelle

Vous verrez comment tout homme qui recherche la prospérité peut se faire aider par l'énergie sexuelle.

Vous comprendrez comment les femmes aident les hommes à réussir et comment bénéficier au maximum de cette vérité de toujours.

La transmutation est, en langage simple: « le changement ou la transformation d'un élément en un autre ».

L'émotion sexuelle conduit à un état d'esprit.

Par ignorance, cet état d'esprit est généralement associé à une émotion d'ordre physique.

Or, l'émotion sexuelle a trois raisons d'être:

1. La perpétuation du genre humain

2. Le maintien de la santé (en tant qu'agent thérapeutique, il n'a pas d'équivalent)

3. La transformation de la médiocrité en génie.

Cette transformation ou transmutation sexuelle est facile à expliquer: l'esprit s'éveille et remplace des pensées d'expression physique par des pensées plus hautes ou simplement d'un autre ordre.

Le désir sexuel est le plus puissant des désirs. Il stimule, développe l'imagination, la finesse de perception, le courage, la volonté, la persévérance et un pouvoir créateur qui va croissant. Le désir sexuel est si fort, si impérieux qu'il possède certains êtres qui, pour le satisfaire, risquent leur vie et leur réputation. Domptée, transmutée, c'est-à-dire transformée et redistribuée, cette énergie, qui a conservé ses qualités, peut alors être utilisée en tant que force créatrice et inspiratrice dans le domaine de la littérature, des arts, des sciences et dans n'importe quelle activité, y compris, bien sûr, la poursuite de la richesse.

Cette transformation de l'énergie sexuelle demande un effort de volonté que le résultat justifie pleinement.

Le désir sexuel est naturel et inné. Il ne peut ni ne doit être refoulé mais transformé, il est dérivé de manière enrichissante pour le corps, l'esprit et l'âme. S'il n'est pas magnifié il ne s'exprimera que sur le plan physique. Le cours d'une rivière peut être contrôlé par un barrage. S'il est barré et non drainé, l'eau se frayera un autre chemin. Le même processus se vérifie pour l'émotion sexuelle. Elle peut être contrôlée mais sa nature même la force à s'exprimer. S'il n'y a pas transformation en quelque effort de création, elle n'aboutira qu'à des résultats restrictifs.

Le pouvoir sexuel est un pouvoir conducteur

Celui qui a découvert comment transformer son émotion sexuelle en une énergie créatrice peut s'estimer bien heureux. Une étude scientifique a établi que:

1. Les hommes qui réussissent le mieux sont ceux qui ont un tempérament sexuel très développé et qui ont appris l'art de transformer l'énergie sexuelle.

2. Les hommes qui ont amassé une grosse fortune et ont réussi dans le domaine de la littérature, des arts, de l'industrie, de l'architecture et dans leur profession en général, ont agi sous l'influence d'une femme.

Cette étude a porté sur deux siècles de biographies et d'histoire.

L'émotion sexuelle est une force irrésistible contre laquelle on ne peut lutter. Lorsqu'ils sont guidés par cette émotion, les hommes acquièrent un super-pouvoir d'action. Saisissez bien cette vérité. Vous comprendrez pourquoi la transmutation ou transformation de l'énergie sexuelle détient le secret du pouvoir créateur.

Si l'on détruit les glandes sexuelles de l'homme comme de la bête, on élimine la plus grande source d'action. Comme preuve de ce que j'avance, voyez le taureau qui, castré, devient aussi docile qu'une vache. Toute combativité a disparu.

Les stimulants de l'esprit (les bons et les moins bons)

L'esprit humain a besoin de stimulants pour vibrer, s'enthousiasmer, créer et développer son imagination, désirer intensément, etc. Les stimulants les plus efficaces sont:

1. Le désir sexuel

2. L'amour

3. Un vif désir de célébrité, de pouvoir, de gain ou de fortune

4. La musique

5. L'amitié avec des êtres du même sexe ou du sexe opposé

6. Une organisation de « cerveau collectif »: deux personnes ou plus s'associent pour progresser spirituellement ou temporellement

7. Des souffrances communes, par exemple celles d'un peuple persécuté

8. L'autosuggestion

9. La peur

10. Les narcotiques et l'alcool.

Le désir sexuel vient en tête: c'est un stimulant qui « anime » et met en marche les rouages de l'action. Huit de ces stimulants sont naturels et constructifs, deux sont destructifs. Cette liste vous est présentée afin que vous puissiez comparer les différentes sources de stimulation. De toutes. l'émotion sexuelle est la plus intense et la plus puissante.

Un sot a dit, un jour, qu'un génie est un homme qui « porte des cheveux longs, mange une nourriture bizarre, vit seul et sert de cible aux humoristes ». En voici une meilleure définition: « Un génie est un homme qui a découvert comment augmenter l'intensité de sa pensée au point de pouvoir communiquer librement avec des sources de connaissance insoupçonnées d'une pensée ordinaire. »

Après avoir lu cette définition, si la première question que l'on peut se poser est: « Comment communiquer avec des sources de connaissance qui sont encore insoupçonnées de la pensée ordinaire? » la seconde sera: « Sont-ce des sources que seuls les génies peuvent atteindre? Si tel est le cas, quelles sont-elles et pourquoi sont-elles à leur portée? Répondons à ces deux questions.

Votre sixième sens - l'imagination créatrice

La réalité d'un sixième sens a été dûment établie, c'est l'imagination créatrice, une faculté que la plupart des gens n'utilisent jamais à moins que ce ne soit par accident. Peu de gens s'en servent intentionnellement, et ceux-là sont des génies.

L'imagination créatrice est le lien direct entre l'esprit limité de l'homme et l'Intelligence Infinie. Que ce soit dans le domaine religieux ou dans celui de l'invention, les révélations et toutes les découvertes de base naissent de l'imagination créatrice.

Une pensée exaltante

Lorsque les idées viennent à votre esprit, elles émanent des sources suivantes:

1. De l'Intelligence Infinie

2. Du subconscient où sont emmagasinés les impressions et les élans de la pensée qui n'atteignit pas le cerveau par l'un des cinq sens.

3. De l'esprit d'une autre personne qui libère une pensée, une image ou une idée de son conscient.

4. Du subconscient des autres

On ne connait pas d'autre source d'idée.

Lorsque l'action du cerveau a été excitée par un ou plusieurs des 10 stimulants que nous avons relevés, l'individu a l'impression qu'il plane bien au-dessus du domaine ordinaire de la pensée, ce qui lui permet une vision à distance, de la portée et de la qualité de ses pensées. Du plan inférieur, celui des affaires et des problèmes quotidiens à résoudre, de la routine professionnelle, il est impossible d'atteindre à cette vision.

Quand, au moyen de n'importe quel stimulant, un individu élève sa pensée, il est semblable à un pilote d'avion qui, haut dans l'atmosphère, a un champ de vision mille fois plus vaste qu'à terre.

Tant qu'il maintient haute sa pensée, il n'est ni troublé, ni limité par les problèmes qui circonscrivent sa vision lorsqu'il lutte pour subvenir aux besoins de l'existence: nourriture, vêtements, logement. Il se trouve dans un monde préservé de ces classiques et quotidiennes préoccupations. Elles demeurent à sage distance tout comme l'aviateur qui conquiert le ciel, dépasse les collines, les vallées et autres obstacles du relief. Dans cette exaltation, la faculté créatrice de l'esprit est libre. La voie est ouverte, le sixième sens peut fonctionner. Il devient réceptif à des idées qui n'auraient pu atteindre l'individu en d'autres circonstances. Le « sixième sens » est la faculté qui différencie un génie du commun des mortels.

La voix intérieure

La faculté créatrice devient plus vive et plus réceptive à des facteurs issus du subconscient. Plus cette faculté est exercée, plus l'individu se repose sur elle et l'incite à se manifester.

Ce que l'on désigne sous le nom de « conscience » opère entièrement par l'intermédiaire de ce sixième sens.

Les grands artistes, les écrivains, les musiciens, les poètes sont devenus célèbres parce qu'ils ont pris l'habitude de se fier entièrement à « la petite voix » qui parle en eux grâce à l'imagination créatrice. Les êtres qui ont une vive imagination savent bien que leurs meilleures idées leur viennent de ce que l'on appelle « l'inspiration ».

Je connais un grand orateur qui n'atteignit la célébrité que lorsqu'il prit l'habitude de fermer les yeux et de se fier entièrement à son imagination créatrice. Quand on lui demandait pourquoi il baissait les paupières avant de prononcer les passages clés de son discours, il répondait: « Parce qu'ainsi j'exprime les idées que me sont dictées par la voix intérieure ». L'un des financiers américains les plus riches et les plus célèbres avait l'habitude de fermer les yeux deux ou trois minutes avant de prendre une décision. On lui en demanda la raison et il déclara: « Quand je ferme les yeux, je suis capable d'atteindre des sources d'intelligence supérieure».

Il attendait des idées

Feu le Dr Elmer R. Gates, de Chevy Chase, dans le Maryland, prit plus de 200 brevets d'inventions (quelques-unes furent très importantes) en cultivant et en utilisant son imagination créatrice. Sa méthode est à la fois significative et intéressante pour celui qui cherche à entrer dans le monde des génies, auquel appartient sans nul doute le Dr Gates. Il fut un grand savant, bien qu'on lui ait fait très peu de publicité.

Dans son laboratoire, il avait ce qu'il appelait sa « chambre de communications personnelles » qui était une pièce insonorisée, meublée d'une petite table sur laquelle était posé un bloc de papier à lettres. Un bouton électrique sur le mur commandait les lumières. Lorsque le Dr Gates désirait puiser dans les forces que son imagination créatrice mettait à sa portée, il entrait dans cette pièce, s'asseyait à la table, éteignait les lampes et *se concentrait* sur les *faits connus* d'un domaine qu'il voulait approfondir ou découvrir. Il demeurait ainsi jusqu'à ce que les idées lui vinssent.

Un jour, ce fut en si grand nombre et avec une intensité telle qu'il lui fallut trois heures pour les inscrire. Ensuite, examinant ces notes, il vit qu'elles décrivaient minutieusement des phénomènes inconnus du monde scientifique et qu'elles constituaient une réponse intelligente au problème qu'il se posait.

Le Dr Gates gagnait sa vie en trouvant des idées pour les particuliers et les sociétés. Quelques-unes des plus grandes corporations d'Amérique lui versèrent de substantiels émoluments.

Le raisonnement est souvent faussé parce qu'il s'inspire en grande partie de l'expérience personnelle. Or tout enseignement que nous avons pu tirer de l'expérience n'est pas forcément bon et juste. Les idées que nous recevons de notre imagination créatrice sont bien plus sûres. Elles viennent de sources plus pures sur lesquelles on peut davantage compter.

La source du génie est à votre portée

Qu'est-ce qui différencie le génie du simple inventeur? Le premier travaille avec son imagination créatrice alors que le second ignore tout de cette faculté. L'inventeur scientifique utilise les deux imaginations, synthétique et créatrice.

Par exemple, l'inventeur scientifique, en s'aidant de son imagination synthétique, organise et combine des idées connues et des principes nés de l'expérience. Si cette connaissance ne suffit pas à l'aboutissement de son invention, il fait travailler son imagination *créatrice*. La méthode employée varie selon les individus, mais voici l'essentiel du processus:

1. L'inventeur stimule son esprit pour le faire fonctionner sur un plan plus élevé utilisant un ou plusieurs des 10 stimulants que nous mentionnons ou encore quelque autre de son choix.

2. Il se concentre sur des éléments connus et crée dans son esprit une image parfaite des éléments inconnus. Il la garde en tête jusqu'à ce que le subconscient s'en soit emparé, puis se détend en éliminant toute pensée et enfin attend que la réponse pénètre son esprit.

Il arrive que les résultats soient précis et immédiats. D'autres fois, ils sont négatifs, car ils dépendent du degré de développement du sixième sens ou de l'imagination créatrice.

Edison essaya plus de 10.000 combinaisons d'idées, s'aidant de son imagination synthétique, avant de trouver, en faisant appel à son imagination créatrice, comment perfectionner sa lampe incandescente. Il agit de même lorsqu'il inventa le phonographe.

Le rôle de l'imagination créatrice n'est pas discutable. Il apparaît dans la vie de tout homme passé maître dans sa profession, sans être particuilèrement instruit. Lincoln est le parfait exemple d'un grand chef qui donna le meilleur de soi lorsqu'il utilisa son imagination créatrice.

L'énergie sexuelle est transmutée

La petite Histoire foisonne de récits dont les hommes célèbres firent les frais. Auprès d'eux, il y a presque toujours une femme qui éveilla leur imagination créatrice en stimulant leur désir sexuel.

Inspiré par Joséphine, sa première femme, Napoléon Bonaparte fut irrésistible et invincible. Lorsque, influencé par le raisonnement, il la répudia, son étoile faiblit. Waterloo et Sainte-Hélène n'étaient pas loin.

La discrétion nous interdit toute allusion à tel ou tel homme bien connu qui, stimulé par sa femme, atteignit des sommets avant de retomber à zéro dans l'orbe d'une autre compagne.

Napoléon n'a pas été le seul à expérimenter que l'influence sexuelle, *issue de bonne source* est autrement puissante que n'importe quel expédient mûri par la seule raison.

L'esprit humain vibre et répond aux stimulants! Le plus puissant demeure la sollicitation sexuelle. Transmutée, c'est-à-dire transformée et dirigée, elle est capable de porter un homme vers les plus hautes sphères de la pensée où il maîtrisera les soucis et les complications qui le submergent lorsqu'il demeure sur un plan inférieur.

Nous basant sur des faits connus, sur des biographies et dans le but de vous les remettre en mémoire, voici les noms de quelques hommes célèbres par leurs réalisations et qui tous ont été très virils. Sans aucun doute leur génie s'exprima par la transmutation de leur énergie sexuelle.

George Washington
Napoléon Bonaparte
William Shakespeare
Abraham Lincoln
Ralph Waldo Emerson
Robert Burns

Thomas Jefferson
Elbert Hubbard
Elbert H. Gary
Woodrow Wilson
John H. Patterson
Andrew Jackson

Enrico Caruso

Vous pourrez certainement ajouter des noms à cette liste. Cependant, je doute que vous trouviez un seul homme dans toute l'histoire de la civilisation, qui ait réussi de façon extraordinaire, peu importe dans quel domaine, sans un tempérament sexuel développé.

L'énergie sexuelle est l'énergie créatrice de tous les génies. *Il n'y a jamais eu, il n'y aura jamais un grand chef, un grand bâtisseur ou un grand artiste dépourvu de cette force sexuelle conductrice.*

J'espère que personne ne commettra l'erreur de croire que sont des génies tous ceux qui ont un fort tempérament sexuel! Avant de prétendre au titre de génie, il faut savoir stimuler son esprit à la rencontre des forces que l'imagination créatrice met à sa portée.

Si l'énergie sexuelle est le premier des stimulants, la simple *possession* de cette énergie ne fait pas de vous un génie. Le désir d'un contact physique doit être *transmuté* en une *autre* forme de désir ou d'action.

Si vous réussissez à sublimer ainsi le désir, une carrière géniale vous est ouverte.

Beaucoup d'énergie sexuelle gaspillée

J'ai découvert en analysant plus de 25000 personnes que celles qui réussissent très bien ont rarement moins de 40 ans. Le plus souvent elles ont dépassé la cinquantaine. Cette constatation était si frappante que je décidai de l'étudier.

Les jeunes gens ont tendance à gaspiller leur énergie en permettant trop souvent à leur émotion sexuelle de s'exprimer physiquement. La plupart des êtres humains n'ont *jamais* appris que les sollicitations sexuelles ont des possibilités supérieures d'expression. La plupart de ceux qui font cette découverte la font *après un gaspillage de plusieurs années*, pendant lesquelles l'énergie sexuelle est à son apogée, soit avant 45-50 ans. C'est à ce moment-là que les réussites s'enregistrent.

La vie d'un homme jusqu'à 40 ans, et quelquefois encore après, reflète un gaspillage d'énergie qui, dirigée vers un seul but, aurait donné d'excellents résultats. Les émotions les plus vives et les plus fortes sont jetées aux quatre vents. De là vient l'expression « jeter sa gourme ».

La nature fournit de grands stimulants

L'Histoire ne manque pas d'exemples de ces hommes qui devinrent des génies pour avoir usé des stimulant artificiels, de l'alcool et des narcotiques. Edgar Allan Poe écrivit *Le Corbeau* sous l'influence de l'alcool « rêvant de rêves dont les mortels n'osèrent jamais rêver auparavant. » James Whitcomb Riley écrivit ses meilleures oeuvres sous l'inspiration de l'alcool. Peut-être vit-il vraiment « l'enchevêtrement ordonné du rêve et de la réalité, le moulin sur la rivière et la brume sur le fleuve. » C'est intoxiqué que Robert Burns écrivait le mieux.

Mais il ne faut pas oublier que beaucoup de ces hommes se sont finalement détruits eux-mêmes. La nature a ses propres remèdes à la disposition des hommes. Ainsi stimuleront-ils sans danger leur esprit. Aux stimulants naturels on n'a pas encore trouvé d'équivalent.

Les psychologues savent qu'il existe une relation très étroite entre les désirs sexuels et les impératifs spirituels, ce qui explique l'étrange attitude des gens qui participent aux orgies dites « réveils », pratique religieuse courante chez les primitifs.

Le monde est régi et la destinée de la civilisation est établie par les émotions humaines. Nous agissons moins poussés par la raison que par les « sentiments ». L'imagination créatrice est mue par les émotions et *non par une froide raison*. L'émotion sexuelle est la plus puissante de toutes. Bien sur, il y a d'autres stimulants, nous en avons mentionnés quelquesuns, mais aucun ne peut égaler le pouvoir sexuel.

Un stimulant est une influence qui, soit temporairement soit en permanence, s'exerce en intensifiant la pensée. Les dix stimulants dont nous avons dressé la liste sont les plus courants. Par eux la communion avec l'Intelligence Infinie est possible de même qu'une intrusion dans le magasin du subconscient, le sien ou celui des autres.

L'énergie sexuelle dans l'art de vendre

Un homme, qui a appris leur métier à plus de 30.000 vendeurs, a découvert avec étonnement que ceux dont le tempérament sexuel était le plus développé étaient les meilleurs vendeurs. On en trouve l'explication dans cet élément de la personnalité que l'on appelle « le magnétisme personnel », et qui n'est ni plus ni moins que l'énergie sexuelle. Un certain appétit sexuel confère toujours un grand « magnétisme » qui facilite les contacts avec autrui. Cette énergie peut se détecter par:

1. *La poignée de main*: Elle indique immédiatement la présence ou le manque de magnétisme.

2. *Le ton de la voix*: Le magnétisme ou l'énergie sexuelle est l'élément qui colore la voix, la rend charmeuse et musicale.

3. *Les gestes et la démarche*: Le tempérament sexuel incline à la vivacité, à la grâce et à l'aisance.

4. *La coquetterie vestimentaire*: Ces personnes sont généralement très soigneuses et coquettes. Elles choisissent des vêtements dont le style convient à leur personnalité et à leur physique.

5. *Les ondes de la pensée*: Les gens au tempérament sexuel développé mêlent à leurs pensées l'émotion sexuelle; ils peuvent le faire à volonté et ainsi influencer ceux qui les entourent.

Quand il engage des vendeurs, le bon directeur de ventes recherche *en tout premier lieu* le magnétisme personnel. Les gens qui manquent d'énergie sexuelle ne seront jamais enthousiastes et n'enthousiasmeront jamais personne; or cette qualité est une des plus importantes dans l'art de vendre quoi que ce soit.

L'orateur, le prédicateur, l'avocat ou le vendeur qui manquent d'énergie sexuelle seront incapables d'influencer qui que ce soit. Ajoutez à cela que la plupart des gens ne peuvent être influencés que si l'on fait appel à leurs émotions et vous comprendrez l'importance de l'énergie sexuelle chez le vendeur. Les vendeurs qui réussissent dans leur métier *transmutent* consciemment ou non leur énergie sexuelle en enthousiasme.

Cette transmutation demande plus de volonté et d'entraînement qu'on ne le croit. Chez certains, la volonté n'est pas gratuite. Elle s'acquiert peu à peu mais le résultat final vaut bien que l'on s'y efforce.

Trop de fausses croyances sur le thème de la sexualité

En grande majorité, la société est d'une ignorance impardonnable pour tout ce qui touche à la sexualité. La sollicitation sexuelle a été mal comprise, calomniée, souillée et tournée en ridicule par l'ignorant et le méchant.

Les hommes et les femmes qui ont le bonheur, je dis bien le bonheur, d'avoir un tempérament ardent sont généralement maudits.

Des millions de gens, même à notre époque, souffrent de complexes d'infériorité qui se sont développés parce qu'ils ont cru, à tort, que leur tempérament était une malédiction. Que cet éloge de l'énergie sexuelle ne serve pas de justification au libertin! L'émotion sexuelle n'est une vertu qu'utilisée avec intelligence et discernement. Elle peut être mal employée, et elle l'est souvent, avilissant l'âme et le corps au lieu de les enrichir.

Presque tous les dirigeants de ce monde ont été largement inspirés dans leur oeuvre par une femme. N'est-ce pas significatif? Souvent l'épouse est modeste, effacée, peu connue ou ignorée du public. Mais rarement c'est « l'autre femme » qui a été l'inspiratrice...

Toute personne intelligente sait que la prise de stimulants tels que l'alcool et les narcotiques est une forme d'intempérance destructive. Mais tout le monde ne sait pas que les excès sexuels peuvent devenir une habitude pernicieuse aussi destructive de l'effort créateur que le sont l'alcool et les narcotiques. Raisonnement et volonté s'émoussent et se perdent.

De nombreux cas d'hypocondrie (maladie imaginaire) relèvent d'habitudes contractées par manque de connaissances au sujet de la fonction sexuelle et de ses possibilités supérieures.

On voit donc le mal que peut faire l'ignorance de la transmutation du désir sexuel et les bénéfices qui résultent de cette transformation.

L'ignorance est due au fait que le thème sexuel a été entouré de mystère et de silence. Cette conspiration a eu le même effet sur l'esprit des jeunes gens qu'en d'autres temps la prohibition. Il en est résulté une plus grande curiosité et le désir d'acquérir plus de connaissances sur ce sujet *tabou*.

La leçon des années fécondes

Il est assez rare qu'un individu ait à fournir des efforts professionnels purement créateurs dans n'importe quel domaine avant l'âge de 40 ans. L'homme moyen connaît sa période de plus grandes possibilités créatrices entre 40 et 60 ans. Ces constatations sont basées sur l'analyse de milliers d'hommes et de femmes soigneusement observés. Elles devraient encourager ceux qui, avant l'âge de 40 ans, ont échoué dans leurs entreprises et ceux qui s'effraient de la « vieillesse », c'est-à-dire de la quarantaine! Les années entre 40 et 50 ans sont généralement les plus fécondes. L'homme devrait atteindre cet âge plein d'espoir, en se réjouissant et non en tremblant.

Si vous en voulez un témoignage, étudiez la biographie des hommes qui ont le mieux réussi. Henry Ford, par exemple, ne commença à réussir vraiment qu'après 40 ans; Andrew Carnegie avait dépassé cet âge quand il récolta le fruit de ses efforts.

C'est entre 30 et 40 ans, que l'homme acquiert l'art de la transmutation sexuelle. Sa découverte est généralement accidentelle et le plus souvent celui qui la fait en est totalement inconscient. Il notera que son pouvoir s'est accru entre 35 et 40 ans, mais, dans la plupart des cas, il ne saura pas pourquoi.

Vous seul pouvez vous hisser au rang de génie

Le désir sexuel est un impératif qui pousse à l'action, mais ses forces sont comme celles d'un cyclone, elles sont souvent incontrôlables. Lorsque le désir sexuel s'accompagne d'un sentiment amoureux, il en résulte le calme, l'équilibre, la justesse du jugement et la pondération. Celui qui atteint l'âge de 40 ans pourra par sa propre expérience corroborer ces constatations.

Lorsqu'il est conduit par son désir de plaire, désir uniquement basé sur l'émotion sexuelle, un homme peut être capable, et généralement il l'est, de grandes choses; malheureusement, il arrive aussi que ses actes soient désorganisés, répréhensibles et destructifs. Il peut voler, escroquer et même assassiner. Mais lorsque son désir sexuel se double d'un sentiment amoureux, ce même homme agira de façon saine, équilibrée et raisonnable. L'amour, la tendresse et le désir sexuel sont des émotions susceptibles de faire accomplir à un homme de grandes choses. L'amour est un sentiment qui agit en soupape de sûreté et assure l'équilibre, la pondération et l'effort constructif. Ces trois émotions éprouvées simultanément peuvent faire d'un homme un génie.

Les sentiments sont des états d'esprit. La nature a doté l'homme d'une « chimie de l'esprit » qui obéit aux lois de la chimie ordinaire. Il est bien connu qu'un poison mortel peut résulter du mélange de produits non toxiques. De même, les sentiments peuvent-ils se combiner en composant un poison mortel. L'émotion sexuelle alliée à la jalousie, par exemple, peut faire d'un homme un fou furieux.

La présence, dans l'esprit humain, d'une ou de plusieurs forces émotives du type destructeur peut produire, en raison des phénomènes que nous évoquons, un poison qui annihile tout sens de la justice et de l'équité. Pour devenir un génie, il faut apprendre à développer, contrôler et utiliser le désir sexuel et l'amour. En bref, le procédé est le suivant:

Dans votre esprit, donnez à ces émotions la place prépondérante et découragez les émotions destructrices. L'esprit est fait d'habitudes. Il prospère, en se nourrissant des pensées *qui le dominent*. Par la volonté, on peut décourager la présence de n'importe quelle émotion et au contraire en encourager d'autres. Contrôler l'esprit par la volonté n'est pas difficile. On peut y arriver par la persévérance et l'habitude. Le secret du contrôle réside dans la compréhension du processus de transmutation. Lorsqu'une émotion négative quelconque se présente à votre esprit, elle peut très facilement être transmutée, c'est-à-dire transformée en une émotion constructrice ou positive: il suffit de changer vos pensées.

Il n'est pas d'autre route pour accéder au génie que celle que nous construisons sciemment par notre propre effort. Un homme peut atteindre de hauts sommets dans la finance ou les affaires, uniquement par la force de l'énergie sexuelle; mais l'Histoire prouve bien souvent que certains traits de caractère «parasitent» ses aptitudes ou l'empêchent d'en jouir. Cette vérité est si importante qu'elle vaut la peine d'être méditée car elle peut être d'une aide très précieuse. Elle a coûté leur chance de bonheur à des milliers de gens dont quelques-uns étaient pourtant fortunés.

L'expérience puissante de l'amour

Les souvenirs d'amour ne s'effacent jamais. Ils guident et influencent bien après que la source stimulatrice s'est tue. Toutes les personnes qui ont éprouvé un amour authentique savent qu'il laisse des traces dans le coeur de l'homme. L'effet de l'amour est durable parce qu'il est de nature spirituelle. Est un homme mort, bien qu'il paraisse vivre, celui à qui l'amour ne peut plus faire accomplir de grandes choses. Son cas est désespéré.

Revenez quelques années en arrière et plongez-vous dans les merveilleux souvenirs de vos amours. Vous en oublierez problèmes et soucis actuels, vous vous évaderez des réalités peu plaisantes et, peut-être que, durant cette retraite dans le monde de la fantaisie, des idées ou des plans vous viendront qui modifieront complètement le statut financier et spirituel de votre vie.

Si vous vous croyez malheureux parce que vous avez aimé et perdu cet amour, relevez la tête: celui qui a vraiment aimé n'a pas entièrement échoué. L'amour est capricieux et fantasque. Il vient quand il en a envie et s'en va sans prévenir. Acceptez-le et jouissez-en pleinement quand il est là, mais lorsqu'il s'en va, ne perdez pas de temps à vous lamenter. Vos pleurs ne le ramèneront pas.

Rejetez aussi la pensée que l'amour ne frappe qu'une fois. C'est faux! L'amour peut venir et s'en aller plusieurs fois; cependant il n'y a pas deux expériences amoureuses qui se ressemblent et qui affectent l'homme de la même manière. Il y en a toujours une qui laisse une empreinte plus profonde que les autres. Elles sont toutes salutaires à condition de ne pas marquer un être d'aigreur et de cynisme.

Si les hommes et les femmes voulaient bien comprendre qu'il y a une distinction à faire entre l'émotion amoureuse et l'émotion sexuelle, ils ne seraient jamais déçus par l'amour. L'amour est d'essence spirituelle alors que la cause du désir sexuel est biologique. Sinon par ignorance et jalousie, aucune expérience spirituelle ne peut blesser quand elle touche le coeur humain.

L'amour est, sans aucun doute, la grande expérience de la vie. Il nous met en contact avec l'Intelligence Infinie. Accompagné de tendresse et de désir sexuel, il peut nous élever au sommet de l'effort créateur.

L'amour est multiple. Le plus intense, le plus ardent est celui que l'on éprouve quand fusionnent l'amour, d'essence spirituelle, et le désir physique. Ne sont ni équilibrés, ni durables les mariages contractés hors de ces émotions jumelles. L'amour sans le désir et le désir sans l'amour ne conduisent jamais au bonheur durable. Conjoints, ils garantissent à l'union le climat le plus proche de la spiritualité, telle qu'elle est concevable dans le siècle.

S'ajoutant à l'amour et au désir, la tendresse abolit tout obstacle entre l'esprit limité de l'homme et l'Intelligence Infinie. C'est alors que peut naître le génie.

Des brouilles peuvent briser un mariage

Voici qui pourrait, bien compris, ramener l'harmonie dans le chaos de trop de ménages. Souvent les heurts qui s'expriment par des propos hargneux naissent d'une *ignorance*: celle du processus sexuel. Là où règnent l'amour, la tendresse et la compréhension de la fonction sexuelle, le couple est uni.

Heureux le mari dont la compagne comprend la véritable relation qui existe entre les émotions relatives à l'amour, au désir physique et à la tendresse. Celui qui est mû par ce triumvirat, ne trouvera plus jamais son labeur pénible, car le travail le plus ingrat est ennobli par l'amour. Un très vieux dicton dit qu'« une femme peut élever un homme ou le briser », mais la raison n'en est pas toujours claire. Une femme peut « élever » ou « briser » selon qu'elle comprend ou non les émotions d'amour, le désir physique et la tendresse.

Quand une épouse laisse son mari se désintéresser d'elle et s'occuper d'autres femmes, c'est généralement par ignorance des mécanismes de l'amour, du désir sexuel, de la tendresse ou par indifférence à leur égard. Cette déclaration présuppose, bien sûr, qu'un amour réel a uni les deux époux. Elle s'applique également à l'homme qui laisse s'émousser l'intérêt que sa femme lui portait.

Les époux se chamaillent souvent pour des vétilles. Une analyse soigneuse révèle que la véritable cause des troubles conjugaux est le plus souvent l'ignorance de la psychologie sexuelle ou l'indifférence.

D'où vient le pouvoir de la femme

Son désir de plaire à la femme est la plus grande force motrice de l'homme!

Avant l'aube de la civilisation, le chasseur qui désirait plaire à une femme tâchait de se distinguer en ramenant plus de gibier que les autres. La nature de l'homme n'a pas changé à cet égard. Le « chasseur » d'aujourd'hui ne rapporte pas chez lui les dépouilles d'animaux sauvages, mais il manifeste son désir d'être agréable à sa femme en lui offrant de beaux vêtements, une voiture, de l'argent. L'homme éprouve toujours le même désir qu'à l'ère de la Préhistoire, seule la manière de plaire a changé. Ceux qui amassent de grosses fortunes et deviennent puissants et célèbres le font surtout pour satisfaire *leur désir de plaire aux femmes*. Retirez celles-ci de leur vie, et leurs richesses leur sembleront inutiles. *C'est ce désir inhérent à l'homme de plaire à la femme qui donne à celle-ci le pouvoir de l'élever ou de le briser.*

La femme qui connaît la nature de l'homme et qui sait la flatter avec subtilité, n'a pas à craindre d'être supplantée par une rivale. Les hommes, en compagnie masculine, peuvent être des « géants » à la volonté indomptable, mais ils seront facilement menés par la femme qu'ils se sont choisie.

Parce que c'est dans la nature du mâle de vouloir être le plus fort de l'espèce, la plupart des hommes n'admettent pas qu'ils sont facilement influencés par les femmes qu'ils aiment. La femme intelligente connaît cette particularité masculine et, avec sagesse, s'abstient de la contredire ouvertement.

Certains hommes savent qu'ils sont facilement influencés par les femmes (qu'il s'agisse de leur épouse, de leur maîtresse, de leur mère ou de leur soeur!) mais, avec tact, ils se gardent de se rebeller parce qu'ils sont assez intelligents pour savoir qu'aucun homme n'est heureux ni complet sans l'influence bénéfique d'une femme. L'homme qui méconnaît cette importante vérité se prive d'un pouvoir plus passible d'aider les représentants de son sexe que toutes les autres forces réunies.

RÉSUMÉ:

Deux traits concernant l'énergie sexuelle vous donnent une nouvelle vision de cette vaste source de pouvoir.

L'énergie sexuelle peut donner naissance à des génies comme Thomas Edison.

Votre énergie sexuelle fera naître et développera votre enthousiasme, votre imagination créatrice, votre désir ardent, votre persévérance et toutes les autres qualités qui vous rendront riche et heureux.

Essayez de trouver le plan d'exaltation d'où naîtront de précieuses « inspirations ». Puisez dans ce magasin d'idées qu'est le subconscient des autres.

Vous connaissez le grand secret de tout inventeur de génie. Vous pouvez en bénéficier à votre tour. Vous voyez que même la raison ne peut vous guider autant que l'énergie sexuelle qui, tout en gardant son expression naturelle, peut être utilisée d'une façon que beaucoup d'hommes découvrent trop tard.

DANS LES SOURCES DE TOUT POUVOIR FONDAMENTAL
IL Y A CELLES D'UNE RICHESSE ILLIMITÉE

CHAPITRE 12

Onzième étape vers la richesse: le subconscient

Vous verrez comment votre subconscient attend que vous lui soumettiez vos plans et vos projets pour qu'il les réalise.

Saturez votre subconscient de pensées positives bien dirigées qui vous apporteront ce que vous attendez de la vie.

Le subconscient est un fichier dans lequel toute pensée qui atteint le conscient par l'un des cinq sens est classée et consignée, d'où elle pourra être rappelée et retirée.

Il reçoit et classe les impressions sensorielles ou les pensées, peu importe leur nature. Vous pouvez volontairement transmettre à votre subconscient un plan, une pensée ou un projet que vous désirez transformer en son équivalent matériel. Le subconscient agit d'abord sur le désir dominant qui a été valorisé par un sentiment tel que la foi.

Rapprochez ceci des instructions données aux chapitres qui traitent du désir et de l'élaboration des plans et vous comprendrez encore mieux le fonctionnement de la pensée subconsciente.

Le subconscient travaille jour et nuit. Par un processus qui nous est inconnu, il se nourrit aux forces de l'Intelligence Infinie et transforme volontairement un désir en son équivalent physique, utilisant toujours les moyens les plus pratiques pour atteindre son but.

Vous ne pouvez contrôler *entièrement* votre subconscient, mais vous pouvez lui confier le plan, le désir ou le but que vous voulez concrétiser. Dans le chapitre sur l'autosuggestion relisez comment utiliser le subconscient.

On peut prouver de mille manières que le subconscient est le lien entre l'esprit limité de l'homme et l'Intelligence Infinie. Lui seul connaît le processus secret qui modifie les élans de la pensée et les change en leur équivalent spirituel. Lui seul est le médium qui transmet la prière à la source qui peut y répondre.

La première création doit être la pensée

Les possibilités de l'effort créateur relié au subconscient sont aussi remarquables qu'impondérables. Elles effraient même un peu.

Quand je dois parler du subconscient, j'éprouve toujours un sentiment
d'infériorité, peut-être parce qu'à son sujet les connaissances de l'homme
sont pitoyablement limitées.

Lorsque vous aurez accepté, comme une réalité, l'existence du subconscient et compris son rôle d'intermédiaire dans la transformation du désir
en son équivalent physique ou monétaire, vous comprendrez toute la
signification des instructions qui vous ont été données à propos du désir.
Vous saisirez aussi pourquoi il vous a été si souvent recommandé de
préciser vos désirs et de les écrire. Vous verrez aussi pourquoi, pour
mener à bien ces instructions, la persévérance est nécessaire.

Les « 13 principes » sont des stimulants; grâce à eux, vous apprendrez
à atteindre et à influencer votre subconscient. Ne vous découragez pas
si vous n'y arrivez pas tout de suite. N'oubliez pas que le subconscient
ne peut être dirigé à volonté *que par l'habitude.* (Suivez les directives
données au chapitre sur la foi.) Soyez patient et persévérant.

Ce que vous avez lu sur la foi et l'autosuggestion va vous être répété
ici au profit de votre subconscient. Rappelez-vous qu'il fonctionne de
toute façon *que vous fassiez un effort pour l'influencer ou non.* Ce qui
veut dire que les pensées dictées par la pauvreté et toutes les pensées
négatives stimulent votre subconscient à *moins* que vous n'arriviez à les
dominer et à donner à celui-ci une nourriture plus désirable.

Votre subconscient ne reste pas oisif. Si vous n'y implantez pas vos
désirs, il se nourrira des pensées qui l'atteindront et qui seront *le résultat
de votre négligence.* Nous l'avons déjà expliqué, positives ou négatives,
les ondes de la pensée nourrie aux quatre sources que mentionne le
chapitre de la transmutation sexuelle, ne cessent de déferler sur le
subconscient.

Pour l'instant, souvenez-vous que vous vivez *quotidiennement* au centre
de toutes les pensées qui l'atteignent sans que vous le sachiez. Quelques-
unes d'entre elles sont négatives, d'autres positives. Essayez de stopper
le flot des négatives et d'influencer votre subconscient pour qu'il ne
s'empare que des ondes positives.

Quand vous y serez parvenu, vous possèderez la clé qui ouvre la porte de votre subconscient. Vous contrôlerez cette porte en en barrant l'accès aux pensées indésirables.

L'homme ne peut rien créer qu'il n'ait d'abord pensé. A l'aide de l'imagination, ces pensées sont groupées pour former un plan. L'imagination, contrôlée, est utilisée dans la création des plans ou des projets qui déterminent la réussite d'une entreprise.

Toutes les pensées qui seront transformées en leurs équivalents physiques et qui sont implantées volontairement dans le subconscient, doivent passer par l'imagination et être valorisées par la foi.

Tirons la conclusion de ce paragraphe: l'utilisation volontaire du subconscient demande de la coordination et l'application des lois que nous avons précédemment définies.

Comment utiliser vos émotions positives

Le subconscient est plus facilement influencé par les pensées chargées d'émotion que par celles qui relèvent de la raison. Il est facile de prouver la théorie suivante: seules les pensées « émotionalisées » ont une influence sur le subconscient. Il est bien connu que la majorité des gens se laissent mener par leurs émotions et leurs sentiments. S'il est vrai que le subconscient répond plus rapidement aux pensées affectives et qu'il est plus facilement influencé par elles, il est essentiel de se familiariser avec les émotions positives les plus fortes. Il y a 7 grandes émotions positives et 7 négatives. Les émotions négatives envahissent d'elles-mêmes le subconscient, tandis que les émotions positives doivent y être poussées par autosuggestion. (Des instructions vous ont été données dans le chapitre consacré à l'autosuggestion.)

Ces émotions, ou élans sentimentaux, peuvent être comparées au levain du pain. Elles font que, de passives, les pensées deviennent actives. Voilà pourquoi une pensée bien pétrie d'émotion travaille plus vite qu'une autre accompagnée de froide raison.

Vous vous préparez à influencer et à contrôler «l'attention intérieure» de votre subconscient afin de lui transmettre le désir d'argent que vous voulez voir se concrétiser. Il est donc capital que vous sachiez comment l'approcher. Vous devez parler son langage, sinon le subconscient n'entendra pas votre appel. Celui qu'il comprend le mieux est le langage de l'émotion ou du sentiment. Voici donc la liste des 7 plus fortes émotions positives et, plus loin, celle des 7 plus fortes émotions négatives. Puisez dans les bonnes et évitez les mauvaises lorsque vous donnez vos instructions à votre subconscient.

Les 7 émotions positives les plus importantes sont:

Le désir

La foi

L'amour

Le désir sexuel

L'enthousiasme

La tendresse

L'espoir

Il y en a d'autres, mais celles-ci, les plus puissantes, sont les plus utilisées par l'effort créateur. Maîtrisez-les (elles ne peuvent l'être que par l'usage) et les autres émotions positives seront à vos ordres quand vous aurez besoin d'elles. Souvenez-vous, à ce propos, que vous étudiez un livre qui doit en principe vous aider à développer « une volonté d'argent » *en saturant votre esprit d'émotions positives.*

Les 7 émotions négatives les plus importantes (*à éviter*) sont:

La peur

La jalousie

La haine

La vengeance

L'avidité

La superstition

La colère

Des émotions positives ne peuvent occuper votre esprit en même temps que des émotions négatives. Faites votre choix. Il ne tient qu'à vous que les émotions positives dominent votre esprit. Prenez l'habitude d'appliquer et d'utiliser des émotions positives! Elles s'empareront de votre esprit de sorte que les négatives *n'y auront pas accès.*

Ce n'est qu'en suivant ces instructions à la lettre que vous arriverez à contrôler votre subconscient. La présence d'une seule pensée négative dans votre conscient suffit *à détruire* tous les changements constructifs que vous aurez effectués dans votre subconscient.

La prière et le subconscient

Vous avez, peut-être, remarqué que la plupart des gens recourent à la prière lorsque tout le reste a échoué. Et pour cette raison, ils prient dans la peur et le doute, *deux émotions dont le subconscient s'empare.* Ce sont donc elles que l'Intelligence Infinie reçoit et c'est sur elles qu'elle agit.

Si tout en ayant peur de ne pas être exaucé, vous priez pour obtenir quelque chose, *vous priez en vain.*

La prière est parfois exaucée. Si vous avez connu cette joie, essayez de vous rappeler votre état d'esprit au moment où vous l'avez formulée et comprenez que la théorie que nous avançons ici est plus qu'une théorie. Le processus de communication avec l'Intelligence Infinie est très semblable au phénomène des ondes sonores captées par la radio. Vous savez que le son ne peut se communiquer sans avoir d'abord été transformé en ondes que l'ouïe peut capter. La station émettrice de radio cueille le son de la voix humaine et le modifie en l'amplifiant des millions de fois. C'est ainsi que l'intensité du son se propage dans l'espace. Elle est captée par les postes récepteurs qui la reconvertissent en ondes et en sons.

Le subconscient est l'intermédiaire qui transcrit nos prières en termes que l'Intelligence Infinie peut reconnaître, présente le message et en rapporte la réponse sous la forme d'un plan précis ou d'une idée d'où naîtra l'objet de la prière. Voici pourquoi des phrases toutes faites lues dans un livre ne peuvent et ne pourront jamais être des agents de liaison entre l'esprit de l'homme et l'Intelligence Infinie.

RÉSUMÉ:

Votre subconscient peut se nourrir de pensées prises au hasard, de pensées de défaite ou de succès et de richesse. C'est à vous de choisir; le résultat est capital puisqu'il vous élèvera ou vous brisera.

Vous avez vu qu'il existe 7 émotions négatives importantes; il faut que vous soyez certain qu'elles ne pourront pas prendre racine en vous. Vous savez quelles sont les émotions positives importantes; il ne tient qu'à vous qu'elles occupent entièrement votre esprit.

Avec l'Intelligence Infinie, votre subconscient entretient des relations semblables à celles d'une station émettrice et d'une station réceptrice de radio.

Jour après jour, vous construisez votre pouvoir, celui qui vous permet d'utiliser la force créatrice de votre subconscient. Bientôt vous contrôlerez les pensées qui sont à la base de tout plan et de toute entreprise.

LA GRANDEUR D'UN HOMME
EST À LA MESURE DE SES PENSÉES

CHAPITRE 13

Douzième étape vers la richesse: le cerveau humain

Dans chaque domaine de votre esprit,
vous découvrirez de nouveaux pouvoirs.

Vous verrez comment les utiliser
pour acquérir une pensée rapide,
claire, efficace.

Il y a plus de 40 ans, l'auteur travaillant de concert avec feu le Dr Alexander Graham Bell et le Dr Elmer R. Gates, nota que tout cerveau humain est à la fois un poste récepteur et un poste émetteur des ondes libérées par la pensée.

Par un système semblable à celui de la radio, le cerveau humain est capable de capter les ondes émises par d'autres cerveaux.

On peut établir une comparaison entre cette image et la description de l'imagination créatrice que l'on trouve au chapitre de l'imagination. L'imagination créatrice est le « poste récepteur » du cerveau qui reçoit les pensées émises par les cerveaux d'autres êtres. C'est l'agent de liaison entre le conscient, ou la raison, d'un individu, et les 4 sources auxquelles il puise les stimulants de la pensée.

Stimulé ou élevé à un haut niveau de vibration, l'esprit devient plus réceptif à la pensée de source extérieure. Il est élevé en fonction des émotions positives ou négatives. A leur contact les ondes de la pensée s'intensifient.

En tant que force conductrice et agent d'intensité, l'émotion sexuelle est la plus agissante des émotions humaines. Stimulé par l'émotion sexuelle, le cerveau fonctionne à un rythme accéléré qui ralentit quand l'émotion est tiède ou nulle.

La transmutation sexuelle intensifie les pensées à un degré tel que l'imagination créatrice devient hautement réceptive aux idées.

D'autre part, quand le cerveau fonctionne avec intensité, non seulement il attire idées et pensées émises par d'autres cerveaux, mais il les enveloppe du sentiment indispensable pour qu'elles soient captées et manipulées par le subconscient.

Le subconscient est la « station émettrice » du cerveau. Par son intermédiaire les ondes de la pensée sont diffusées. L'imagination créatrice est le « poste récepteur ». Par son intermédiaire l'énergie de la pensée est captée.

Considérons maintenant l'autosuggestion qui fera fonctionner votre « radio ».

Avec les instructions qui vous ont été données dans le chapitre sur l'autosuggestion, on vous à expliqué en détail le processus de transformation du désir en son équivalent matériel.

Comparativement, l'opération de votre « radio mentale » est beaucoup plus simple. Rappelez-vous trois lois et appliquez-les lorsque vous désirez utiliser le subconscient, l'imagination créatrice et l'autosuggestion. Vous appliquerez ces 3 lois par l'intermédiaire de stimulants qui vous ont été décrits.

Nous sommes dirigés par des forces intangibles

Tout au long des siècles, l'homme a largement dépendu de ses sens physiques et a limité ses connaissances aux choses qu'il pouvait voir, toucher, peser et mesurer.

Nous entrons maintenant dans le plus merveilleux de tous les âges, un âge qui nous apprendra quelque chose des forces intangibles du monde qui nous concerne. Peut-être apprendrons-nous, en traversant cet âge, que « l'autre soi-même » est plus puissant encore que l'être physique reflété dans le miroir.

Il arrive que les hommes parlent avec légèreté de l'intangible (les choses qu'ils ne peuvent percevoir avec leurs cinq sens) et, en les écoutant, nous devrions nous rappeler que *nous sommes tous contrôlés par des forces invisibles et intangibles.*

L'humanité entière n'est pas assez puissante pour résister à la force intangible des vagues de l'océan. Elle l'est encore moins pour la contrôler. L'homme n'est pas capable de comprendre la force intangible de la gravité qui maintient notre petite terre supendue dans l'espace et empêche les hommes de tomber. Il est totalement asservi par la force intangible d'un orage et il est impuissant devant la force intangible de l'électricité.

Il ne comprend pas la force intangible (et l'intelligence) que contient le sol de la terre: *la force qui lui donne chaque bouchée de nourriture qu'il absorbe, chaque pièce du vêtement qu'il porte, chaque franc qui alourdit sa poche.*

Communication de cerveau à cerveau

L'homme ne comprend pas grand'chose à la force intangible de la *pensée*, la plus grande de toutes. Il ne sait presque rien de son cerveau et du mécanisme compliqué qui transforme le pouvoir de la pensée en son équivalent matériel, mais il entre dans un âge où la lumière sera faite sur ce sujet. Des hommes de science s'intéressent à cet objet extraordinaire qu'est le cerveau et, bien qu'au début de leur étude, ils ont découvert que le tableau de distribution du cerveau humain, le nombre des lignes qui relient les cellules du cerveau à celles d'un autre organe, est 1 suivi de 15 millions de chiffres!

« Le nombre est si renversant, dit le Dr C. Judson Herrick, de l'Université de Chicago, que les chiffres astronomiques qui sont de l'ordre de centaines de millions d'années lumière, sont insignifiants en comparaison... On a pu déterminer qu'il y a de 10 à 14 billions de cellules nerveuses dans le cortex cérébral humain, et nous savons qu'elles sont disposées selon des dessins précis et non par hasard. »

Il est inconcevable qu'un tel réseau de machines compliquées n'existe que dans le seul but de mener à bien les fonctions physiques, la croissance et le maintien du corps en parfaite santé. Le même système, qui fournit aux billions de cellules du cerveau le moyen de communiquer entre elles, ne nous permettrait-il pas de communiquer avec d'autres forces intangibles?

Le « New-York Times » a consacré un éditorial à une grande Université et à un chercheur intelligent qui étudie soigneusement les phénomènes mentaux. Les conclusions auxquelles il est déjà arrivé sont parallèles à celles que je décris dans ce chapitre et le suivant. L'article que je cite analyse brièvement le travail à la Duke University du Dr Rhine et de ses associés.

Qu'est-ce que la « télépathie »?

« Il y a un mois nous citions dans ces pages quelques-uns des remarquables résultats obtenus par le professeur Rhine et ses associés après plus de 100.000 tests destinés à déterminer la réalité de la télépathie et de la clairvoyance. Ces résultats ont été résumés dans le premier des deux articles parus dans le "Harper's Magazine". Dans le second, l'auteur, E. H. Wright, essaie de résumer ce qui a été appris ou ce qu'il semble raisonnable de conclure sur la nature exacte de ces modes de perception extrasensorielle.

La réalité de la télépathie et de la clairvoyance ne peut plus être mise en doute maintenant que l'on est au courant des résultats obtenus par les expériences de Rhine. Celui-ci demanda à plusieurs voyants de "lire" sans les regarder ni les toucher les cartes à jouer d'un paquet truqué. Une vingtaine d'hommes et de femmes en "lurent" correctement un si grand nombre "qu'il n'y avait pas une chance sur plusieurs millions que ce fût par pure coincidence." »

Mais comment firent-ils? Ce pouvoir, en supposant qu'il existe, ne semble pas être sensoriel, ni appartenir à un organe connu. L'expérience fut tout aussi concluante lorsqu'on éloigna les sujets à plusieurs centaines de kilomètres du paquet de cartes. Ce qui, d'après M. Wright, permet de tenter d'expliquer la télépathie ou la clairvoyance par une théorie physique sur la radiation. Sauf la clairvoyance et la télépathie toutes les formes d'énergie radiante diminuent, inversement proportionnelles au carré de la distance parcourue! Contrairement à ce que l'on croit souvent, clairvoyance et télépathie ne se décuplent pas lorsque le voyant est endormi ou à moitié somnolant, bien au contraire! Rhine découvrit qu'un narcotique amoindrissait toujours la faculté du voyant alors qu'un stimulant l'augmentait. Apparemment, le meilleur des médiums ne pourra faire du bon travail s'il ne s'y applique de son mieux.

L'une des conclusions de Wright, et sur laquelle il n'a pas le moindre doute, est que la télépathie et la clairvoyance sont un et même don. En d'autres termes la faculté de « voir » une carte dont ne vous est montré que le dos, est exactement la même que celle de « lire » les pensées d'autrui. Plusieurs faits viennent étayer cette thèse. Par exemple, les deux dons ont toujours été trouvés chez ceux qui n'en exploitaient qu'un. Tous deux étaient de la même puissance. Ecran, mur, distance, rien ne peut leur faire obstacle. Wright, partant de cette affirmation, avance ce qu'il considère comme sa découverte la plus sensationnelle, à savoir que les autres expériences extrasensorielles, les rêves prophétiques, les prémonitions, etc. découlent de cette même faculté. Le lecteur n'est pas obligé d'accepter ces conclusions. Il n'empêche que la constatation de Rhine reste impressionnante.

Des esprits « accordés » les uns aux autres

A propos des conditions dans lesquelles l'esprit répond à ce que Rhine appelle les modes de perception « extrasensorielle », j'ai l'honneur d'ajouter mon témoignage au sien en déclarant que mes associés et moi-même avons découvert ce que nous croyons être les conditions idéales pour stimuler l'esprit de façon à ce que le sixième sens, décrit dans le chapitre suivant, puisse s'exercer.

Ces conditions requièrent une alliance de travail entre moi-même et mes deux associés. Par l'expérience et la pratique, nous avons découvert comment stimuler nos esprits (en utilisant les « conseillers invisibles » décrits au chapitre suivant), de façon à pouvoir, par un processus qui les assimile à un seul, trouver la solution de problèmes personnels très variés qui m'avaient été soumis par mes clients.

Le procédé est très simple. Nous nous asseyons autour d'une table ronde, établissons clairement la nature du problème que nous devons étudier, puis commençons à en discuter. Chacun donne les idées qui lui viennent. Le plus étrange dans cette méthode d'émulation est qu'elle met chaque participant en communion avec des sources de connaissance absolument étrangères à sa propre expérience. C'est le témoignage le plus simple et le plus pratique du « cerveau collectif ».

En adoptant et en suivant un plan semblable, celui qui étudie cette philosophie entrera en possession de la fameuse formule de Carnegie, brièvement décrite dans l'introduction. Si elle vous semble peu compréhensible, marquez cette page et relisez-la lorsque vous aurez terminé le dernier chapitre.

RÉSUMÉ:

Trois principes très simples coordonnent actuellement votre pouvoir de pensée et d'accomplissement. Par la connaissance et l'utilisation, nouvelles pour vous, de toutes les forces *intangibles*, vous pourrez exercer une influence que très peu de gens possèdent.

Grâce à certaines découvertes du domaine de l'esprit, la science devient l'outil pratique de votre propre amélioration. Vous connaissez maintenant le secret-clé de la table ronde.

Dix trillions de micro-serviteurs (toutes les cellules de votre cerveau) modèlent la pensée, l'imagination, la volonté. Votre esprit doit y trouver tout ce qui est nécessaire à votre recherche de la fortune.

LA PLUPART DES GENS VEULENT FAIRE FORTUNE,
MAIS PEU DISPOSENT DU PLAN PRÉCIS
ET DU DÉSIR ARDENT QUI DONNENT
ACCÈS À LA ROUTE DE LA RICHESSE

CHAPITRE 14

Treizième étape vers la richesse: le sixième sens

Vous ouvrez la porte du Temple de la Sagesse.
L'aventure créatrice vous mène à la richesse.

Par le sixième sens, l'Intelligence Infinie peut communiquer avec l'individu. Cette treizième étape de notre recherche philosophique est un sommet. Le principe qui s'en dégage ne peut être ni assimilé, ni compris, ni appliqué, si l'on n'a pas d'abord maîtrisé les 12 autres.

Le sixième sens est cette partie du subconscient à laquelle on a donné le nom d'imagination créatrice. On l'a aussi nommé « le poste récepteur » des idées, des plans et des pensées qui pénètrent l'esprit sous la forme d'« inspirations ».

Le sixième sens défie toute description. Il ne peut être expliqué à celui qui n'a pas suivi le développement des chapitres précédents; on ne peut le comparer à rien. La compréhension du sixième sens ne vient que par la méditation.

Lorsque vous contrôlerez tous les principes inclus dans ce livre, vous serez préparé à accepter une vérité qui, sinon, vous paraîtrait incroyable: *Votre sixième sens vous préviendra à temps des dangers imminents, pour que vous puissiez les éviter et des bonnes occasions qui se présenteront, pour que vous puissiez les saisir.*

Vous possédez ainsi en développant votre sixième sens un ange gardien qui vous ouvrira quand vous le désirerez la porte du Temple de la Sagesse.

La Cause Première

L'auteur ne croit pas aux miracles et ne s'en fait pas l'avocat. Il connaît assez bien la Nature pour savoir qu'elle *ne déroge jamais à ses lois.*

Quelques-unes étant incompréhensibles, nous n'hésitons pas à qualifier de « miracles » leurs effets.

Le sixième sens est pour moi ce qui se rapproche le plus du miracle.

Il existe un pouvoir ou une Cause Première ou une Intelligence qui baigne chaque particule de matière et pénètre chacune des unités d'énergie perceptible à l'homme; cette Intelligence Infinie transforme les glands en chênes, fait descendre l'eau des montagnes, suivre la nuit du jour et l'été de l'hiver. Si nous appliquons les principes que souligne cet ouvrage, l'Intelligence est susceptible de nous aider à concrétiser nos désirs. L'auteur le sait pour en avoir lui-même fait l'expérience.

Pas à pas, à travers les chapitres précédents, vous avez été amené à méditer ce dernier principe. Si vous avez maîtrisé tous les autres, vous êtes prêt à accepter, *sans scepticisme*, les révélations qui sont faites ici. Si vous ne les maîtrisez pas encore, il faut vous y efforcer, autrement vous ne saurez déterminer si nous vous parlons de réalité ou de fiction. A l'âge du culte des héros, je me rendis compte que j'essayais d'imiter ceux que j'admirais. Plus encore, je découvris que la foi qui me poussait à imiter mes « grands hommes », me rendait apte à y *parvenir*.

Vous pouvez utiliser les services de « conseillers invisibles »

Le culte des héros est une habitude dont je ne me suis jamais défait. L'expérience m'a appris que pour essayer de se surpasser, un des meilleurs moyens est d'imiter les « grands » aussi parfaitement que possible dans leurs pensées et dans leurs actes.

Longtemps avant d'avoir écrit une ligne ou d'avoir préparé une conférence, j'avais pris l'habitude de remodeler mon propre caractère sur celui des neuf hommes que j'admirais le plus par leur vie et leurs oeuvres. Mes neuf idoles étaient: Emerson, Paine, Edison, Darwin, Lincoln, Burbank, Napoléon, Ford et Carnegie. Toutes les nuits, durant de longues années, je tins un conseil d'administration imaginaire avec les neuf hommes que j'appelais mes « conseillers invisibles ».

Juste avant de m'endormir, je fermais les yeux et voyais dans mon imagination ce groupe d'hommes assis autour d'une table; non seulement j'avais la chance d'être au milieu d'eux mais j'étais leur président!

En laissant mon imagination vagabonder dans ces réunions nocturnes, j'avais le plan bien arrêté de remodeler mon propre caractère afin qu'il reflétât les qualités de tous mes « conseillers imaginaires ». Me rendant très vite compte que j'aurais à surmonter le handicap de ma naissance dans un monde ignorant et superstitieux, je choisis délibérément de renaître par la méthode que je viens de décrire.

L'heure de l'autosuggestion

Je savais, bien sûr, que ses pensées dominantes et ses désirs marquent un homme de leur empreinte indélébile. Je savais que tout désir profondément ancré a pour effet de forcer un individu à chercher son expression extérieure, sa concrétisation. Je savais que, dans la reconstruction du caractère, l'autosuggestion est un puissant facteur, qu'elle en est même le seul.

Sachant tout cela, j'avais exactement les armes qu'il me fallait. Dans ces « conseils imaginaires », je m'adressais à chacun en termes clairs lui demandant de me céder le trait de caractère qui m'intéressait:

« M. Emerson, je désire acquérir cette merveilleuse compréhension de la Nature qui a guidé toute votre vie. Je vous demande de graver dans mon subconscient les qualités que vous possédez et qui vous ont permis de comprendre les lois de la Nature et de vous y adapter. »

« M. Burbank, je vous prie de me donner les connaissances qui vous ont permis de concilier si bien les lois de la Nature que vous avez fait perdre ses piquants au cactus et l'avez rendu comestible, que vous avez fait pousser l'herbe dans le désert. »

À Napoléon: « Je voudrais vous emprunter votre extraordinaire habileté à inspirer les hommes et à les pousser à une action plus grande et mieux déterminée, vous emprunter également la foi inébranlable qui vous habitait et qui vous a permis de transformer la défaite en victoire et de surmonter d'immenses obstacles. »

« M. Paine, je veux acquérir la liberté de pensée, le courage et la clarté qui s'expriment par vos opinions et qui vous caractérisaient. »

« M. Darwin, je voudrais posséder votre merveilleuse patience et l'habileté que vous avez montrées en sciences naturelles dans l'étude impartiale de la cause et de l'effet. »

« M. Lincoln, je désire insérer dans mon caractère votre sens aigu de la justice, de l'humour, votre inlassable patience, votre humanité et votre tolérance. »

« M. Carnegie, transmettez-moi la compréhension de l'*effort organisé* que vous avez appliqué si efficacement dans une grande entreprise industrielle. »

« M. Ford, je désire acquérir la persévérance, la détermination, l'équilibre et la confiance en soi qui vous ont permis de vaincre la pauvreté, et organiser, unifier et simplifier l'effort, afin d'aider les autres à suivre vos traces. »

« M. Edison, je souhaite que vous me communiquiez la merveilleuse foi qui vous a fait découvrir tant de secrets de la Nature, et la force de persévérer dans la tâche à accomplir, faculté qui vous a si souvent conduit à la victoire après l'échec. »

Mon « *cabinet* » *imaginaire*

Ma méthode de discours variait suivant le trait de caractère que je désirais acquérir à ce moment-là. Avec un soin tout particulier j'étudiais la vie de mes « collaborateurs ». Après quelques mois, je fus stupéfait de constater à quel point ces figures imaginaires devenaient *réelles*.

Je découvris chez ces neuf hommes des manies qui se développaient. Par exemple, Lincoln prit l'habitude d'être en retard; enfin, il arrivait solennel et sérieux (je ne le vis jamais sourire).

Il n'en était pas ainsi pour les autres. Burbank et Paine se permettaient des réparties spirituelles qui semblaient de temps en temps choquer les autres membres du « cabinet ». Une fois, Burbank arriva en retard, tout excité et il expliqua, enthousiaste, qu'il avait été retardé par une expérience qui, si elle réussissait, permettrait de faire pousser des pommes sur n'importe quel arbre! Paine se moqua de lui et lui rappela que la discorde entre l'homme et la femme avait éclaté à cause d'une pomme. Darwin rit sous cape en suggérant à Paine de se méfier des petits serpents lorsqu'il irait cueillir des pommes dans la forêt, car trop souvent ils se transforment en gros reptiles... Emerson glissa: « Pas de serpent, pas de pomme! » et Napoléon de conclure: « Pas de pomme, pas d'Etat »! Ces réunions devinrent si réelles qu'effrayé par leurs conséquences possibles, je les interrompis quelques mois. J'eus peur d'oublier, si je les poursuivais, qu'elles étaient *le fruit de mon imagination*.

Pour la première fois, j'ai le courage d'évoquer cette expérience. Jusqu'à présent je n'en avais jamais rien dit parce que je savais ne pas être compris dans cette voie peu classique. Il n'en est plus de même. Je suis moins sensible au « qu'en dira-t-on ».

Pour qu'il n'y ait aucun malentendu, je voudrais insister ici sur le fait que je considère toujours mes « conseils de cabinet » comme purement imaginaires, mais je me sens le droit de dire qu'ils m'ont conduit sur les glorieux chemins de l'aventure, qu'ils on réveillé en moi une juste appréciation de la vraie grandeur, encouragé l'effort créateur et enhardi l'expression d'une pensée honnête.

Comment inspirer le sixième sens

Quelque part dans la structure cellulaire du cerveau est placé un organe qui reçoit les ondes de la pensée vulgairement appelées « inspirations ». Jusqu'ici, la science n'a pu découvrir où se cachait exactement ce sixième sens, ce qui n'a d'ailleurs pas beaucoup d'importance. Il n'en reste pas moins que l'être humain reçoit une connaissance exacte d'une source qui n'est pas celle des cinq sens classiques. C'est uniquement sous l'influence d'un stimulant extraordinaire que l'esprit y est réceptif. Tout événement inattendu qui provoque des émotions et fait battre le coeur plus vite que d'ordinaire réveille le sixième sens. Celui qui, au volant de sa voiture, a évité de justesse un accident sait qu'en ces occasions le sixième sens vient à notre secours et empêche la catastrophe en quelques fractions de seconde.

Je devais le mentionner avant de vous dire que pendant mes réunions avec mes « conseillers invisibles » mon esprit était bien plus réceptif aux idées, aux pensées et aux connaissances qui m'atteignaient par le sixième sens.

A certains moments très graves où ma vie était en danger, j'ai pu, grâce à l'influence de mes « conseillers invisibles », passer à travers toutes les difficultés.

Mon but premier, en imaginant ces réunions, était uniquement de graver dans mon subconscient, par autosuggestion, certains traits de caractère que je désirais acquérir. Ces dernières années, mon expérience s'est orientée dans une autre direction. Actuellement, je retrouve mes « conseillers invisibles » chaque fois que j'ai un problème personnel difficile à résoudre ou qui m'est soumis par un client. Le résultat est souvent étonnant, même si je ne m'appuie pas entièrement sur cette forme de conseil.

Vous possédez un nouveau pouvoir

Le sixième sens ne peut s'enlever et se reprendre à volonté. L'aptitude à utiliser ce grand pouvoir vient peu à peu en appliquant les théories de ce livre.

Peu importe qui vous êtes ou la raison pour laquelle vous le lisez; vous ne pourrez en tirer profit si vous ne comprenez pas le principe qui est cerné par ce chapitre. C'est spécialement vrai si votre but est de faire fortune ou d'obtenir d'autres compensations matérielles.

Ce chapitre sur le sixième sens est à dessein inclus dans un ouvrage de philosophie pratique. Tout individu peut s'y référer et, quel que soit le but qu'il poursuit, s'en faire un guide. Si le désir est le point de départ de toute réalisation, à l'arrivée il y a le sixième sens, cette torche du savoir qui aide à se comprendre soi-même, à comprendre les autres, les lois de la nature, qui permet de comprendre et de reconnaître le bonheur. Cette compréhension ne sera totale que lorsque l'individu sera familiarisé avec le sixième sens et son utilisation.

Avez-vous remarqué que, en lisant ce chapitre, vous vous êtes élevé à un haut niveau de stimulation mentale? Bravo! Relisez-le dans un mois et vous observerez alors que la stimulation sera encore plus forte.

Refaites l'expérience de temps en temps, sans vous préoccuper du peu ou de tout ce que vous avez appris jusque là, et vous vous trouverez bientôt en possession d'un pouvoir qui vous aidera à faire fi de tout découragement, à maîtriser la peur, à surmonter l'hésitation et à faire fonctionner librement votre imagination. Vous aurez alors touché à ce « quelque chose » d'inconnu qui a été l'inspiration des très grands penseurs, chefs, artistes, musiciens, écrivains et hommes d'Etat. Vous pourrez transformer votre désir en son équivalent matériel aussi aisément qu'autrefois vous abandonniez la partie à la première difficulté.

RÉSUMÉ:

Dorénavant les « inspirations » ne vous échapperont plus. Bien au contraire, elles vous imprégneront de leur dynamisme grâce à votre imagination créatrice, votre sixième sens.

L'auteur a choisi pour « conseillers invisibles » Henry Ford et quelques autres hommes qui ont réussi. Vous pouvez atteindre vos buts en utilisant sa méthode.

Maintenant vous êtes en contact avec ce « quelque chose », cet impondérable qui a habité tous les grands hommes de tous les temps et qui continue à faire ce qui semble être des miracles dans le domaine des arts, des sciences et des affaires de tous genres.

Si votre but principal est d'acquérir la fortune ou tout autre bien matériel, ce chapitre vous sera particulièrement utile.

IL N'Y A JAMAIS FOULE
AU SOMMET DE L'ÉCHELLE DU SUCCÈS

CHAPITRE 15

Les six fantômes de la peur

Faites votre propre inventaire et voyez si une forme quelconque de la peur fait obstacle sur la route que vous êtes tracée.

Réfléchissez et devenez riche parce que rien, absolument rien ne vous barre le chemin.

Avant d'être capable de mettre cette philosophie en pratique, vous devez préparer votre esprit à la recevoir. Cette préparation ne présente pas de difficultés. Elle commence par l'étude, l'analyse et la compréhension de trois ennemis qu'il faut chasser de votre esprit: l'indécision, le doute et la peur.

Le sixième sens ne fonctionnera pas tant que vous hébergerez ces trois ennemis de caractère négatif ou l'un d'entre eux. Ils se tiennent étroitement, lorsqu'on en trouve un, les deux autres ne sont pas loin.

L'indécision est le germe de la peur! Elle est cristallisée dans le doute et tous deux s'acoquinent pour engendrer la peur. Ces trois ennemis sont particulièrement dangereux parce qu'ils germent et croissent *sans qu'on se rende compte de leur présence.*

Ce chapitre éclaire un but qui doit être atteint avant que la philosophie puisse être appliquée dans son ensemble. Il traite d'une condition qui a réduit de nombreuses personnes à la pauvreté et il établit une vérité qui doit être comprise de tous ceux qui veulent devenir riches soit en argent soit spirituellement, ce qui a encore plus de valeur.

Notre intention est d'attirer l'attention du lecteur sur la cause et la guérison des six formes fondamentales de la peur. Pour vaincre un ennemi, il faut connaître son nom, ses habitudes et son gîte. Tout en lisant, analysez-vous soigneusement et déterminez celles des six formes de la peur qui ont élu domicile en vous.

Ne vous trompez pas sur les habitudes de ces ennemis rusés. Souvent ils demeurent cachés dans le subconscient où il est difficile de les traquer et encore plus difficile de les débusquer.

La peur n'est qu'un état d'esprit

C'est toujours une des six formes fondamentales de la peur ou leur combinaison qui fait souffrir l'homme à un moment ou à un autre. Ils peuvent s'estimer heureux, ceux qui ne sont pas victimes de ces pestes que nous énonçons par ordre d'importance:

La peur de la pauvreté

      de la critique

      de la maladie

      de perdre l'objet de son amour

      de la vieillesse

      de la mort

Les trois premières sont à l'origine de presque tous les tourments. Se rattachent d'une façon ou d'une autre aux formes fondamentales de la peur celles qui n'ont pas été mentionnées ici.

La peur est un état d'esprit et un état d'esprit peut se contrôler et se diriger.

L'homme ne peut rien créer qu'il n'ait auparavant conçu sous la forme d'une pensée. Voici une constatation encore plus importante: les pensées de l'homme commencent immédiatement à se transformer en leur équivalent physique, qu'elles soient volontaires ou non. Les pensées qui surgissent accidentellement (pensées émises par d'autres esprits) peuvent déterminer le destin financier, commercial, professionnel ou social de quelqu'un aussi sûrement que le feraient des pensées créées intentionnellement.

C'est un fait très important. Il l'est plus encore pour ceux qui ne comprennent pas pourquoi certaines personnes semblent toujours « avoir de la chance » alors qu'eux-mêmes, tout aussi capables et expérimentés, paraissent voués à la malchance. Il faut savoir que *tout être humain est capable de contrôler entièrement son esprit* et par là, de l'ouvrir aux idées d'autrui comme d'en fermer l'accès et de n'admettre que les pensées de son choix.

La Nature a doté l'homme d'un contrôle absolu sur une chose, une seule:

son esprit. Cela, ajouté au fait que tout ce que l'homme crée commence sous la forme d'une pensée, nous conduit à l'antidote de la peur.

S'il est vrai que toute pensée tend à se transformer en son équivalent physique (et c'est vrai sans aucun doute), il est également évident que les pensées de peur et de pauvreté ne peuvent se transformer en courage ni en richesse!

Les routes qui mènent dans deux directions opposées

Il ne peut y avoir de compromis entre la pauvreté et la richesse car leur routes divergent. Si vous désirez être riche, vous devez refuser tout compromis qui mène à la pauvreté. (Le mot « richesse » utilisé ici dans son sens plénier sous-entend les biens financiers, matériels et spirituels.) Le point de départ de la richesse est son désir. Dans le chapitre qui en traite, vous avez vu comment le rendre fécond. Dans ce chapitre sur la peur vous trouverez des instructions sur la façon de préparer votre esprit à l'utilisation pratique du désir. Le moment est venu de vous lancer un défi. Le relevant, vous saurez dans quelle mesure vous avez assimilé cette philosophie. Vous pourrez prédire ce que le futur vous réserve. Si, après avoir lu ce chapitre, vous choisissez la pauvreté, vous devrez également préparer votre esprit à la recevoir. C'est une décision que vous ne pourrez éviter de prendre.

Si vous choisissez la richesse, déterminez-en la forme et la valeur. On vous a donné une carte routière qui, si vous l'étudiez attentivement, vous permettra de trouver la bonne route, celle de la richesse. Ne vous en prenez qu'à vous si vous négligez de partir ou si vous vous arrêtez en chemin. Vous n'avez aucune excuse si maintenant vous ne demandez pas à la vie votre part de richesse ou si vous la refusez car, pour qu'elle vous la donne, vous n'avez besoin que d'une seule chose (et comme par hasard c'est la seule que vous puissiez contrôler!): d'un état d'esprit. Un état d'esprit doit être assumé. Il ne peut être acheté, il doit être créé.

Analysez la peur

La peur de la pauvreté est un état d'esprit, rien de plus! Mais elle suffit à détruire toute chance de réussite dans n'importe quelle entreprise.

La peur paralyse la raison, détruit l'imagination, tue la confiance en soi, mine l'enthousiasme, décourage l'initiative, conduit à l'incertitude et pousse à l'hésitation. Elle efface tout le charme d'une personnalité, détruit toute possibilité d'une pensée juste, détourne toute concentration vers l'effort; elle vainc la persévérance, annihile la volonté, écarte toute ambition, obscurcit la mémoire et engendre l'échec; elle tue l'amour et assassine les plus beaux sentiments, décourage l'amitié, attire le désastre sous des centaines de formes, conduit à l'insomnie, à la misère et au malheur et tout ceci dans un monde où afflue tout ce que le coeur peut désirer sans autre obstacle entre ces désirs et nous-mêmes, que l'absence d'un but précis.

La peur de la pauvreté est sans aucun doute la plus destructive des six formes fondamentales de la peur. Elle est aussi la plus difficile à vaincre. La peur de la pauvreté vient de la tendance innée qu'a l'homme de faire de son semblable sa proie économique. Presque tous les animaux sont mûs par l'instinct, mais leur aptitude à penser étant limitée, leur semblable leur sert de proie physique. L'homme, avec son sens supérieur de l'intuition, son aptitude à raisonner, ne mange pas le corps de son semblable; il éprouve plus de plaisir à le « détruire » financièrement. L'homme est si avare que toutes les lois ont été créées pour le défendre économiquement de son semblable.

Que d'humiliations et de souffrances la pauvreté traîne dans son sillage! Seuls comprendront ceux qui en ont fait l'expérience.

Il n'est pas étonnant que l'homme *craigne* la pauvreté. A la suite de la grande expérience qu'il a héritée, l'homme a appris définitivement qu'on ne pouvait se fier à certains êtres quand il s'agit d'argent et de biens terrestres.

L'homme est si acharné à posséder des richesses qu'il en acquerra par tous les moyens (légaux si possible) sinon par d'autres méthodes... L'analyse de soi met en lumière des faiblesses que l'on ne souhaite pas avouer. Cet examen est indispensable si l'on veut exiger de la vie autre chose que la médiocrité et la pauvreté. Souvenez-vous, quand vous vous examinerez point par point, que vous êtes à la fois la cour et le jury, le procureur et l'avocat, le plaignant et l'accusé; et qu'il s'agit d'un procès. Regardez les faits en face. Posez- vous des questions précises et répondez-y sans détours. Si vous ne vous estimez pas impartial, demandez à quelqu'un qui vous connaît bien de vous aider à répondre. Vous cherchez la vérité. *Il faut que vous la trouviez, peu importe à quel prix, et même si cet examen peut se révéler embarrassant.*

Si l'on demande aux gens quelle est la chose qu'ils craignent le plus, la plupart répondent qu'ils n'ont peur de rien. Ce n'est pas exact, mais rares sont ceux qui se rendent compte qu'ils sont liés, handicapés, touchés spirituellement et physiquement par une forme de peur. La peur est si subtile et si profondément ancrée qu'on peut l'endurer toute sa vie sans en être conscient. Seule une analyse courageuse dévoilera la présence de cet ennemi universel. Lorsque vous l'entreprendrez, fouillez bien votre caractère. Voici une liste des symptômes que vous devez rechercher:

La peur de la pauvreté se reconnaît à 6 indices

1. *L'indifférence*: elle est communément exprimée par le manque d'ambition, l'acceptation de la pauvreté, la paresse physique et mentale, le manque d'initiative, d'imagination, d'enthousiasme et de maîtrise de soi.

2. *L'indécision*: l'habitude de laisser les autres penser pour soi.

3. *Le doute*: il s'exprime généralement sous forme d'excuses propres à couvrir, expliquer ou excuser les échecs ou par l'envie et la critique à l'égard de ceux qui ont réussi.

4. *L'ennui*: il se manifeste par une tendance à rechercher les défauts des autres, à dépenser plus que son revenu, à négliger son apparence, à bouder et à se renfrogner, par l'intempérance qui engendre l'extrême nervosité, le manque d'équilibre et de connaissance de soi.

5. *L'excès de prudence*: ne voir que le côté négatif des événements; penser à l'échec possible et en parler au lieu de se concentrer sur le moyen de réussir; connaître toutes les voies qui mènent au désastre sans jamais chercher à les éviter; attendre le moment propice pour mettre en action idées et plans et faire de cette attente une habitude permanente. Se souvenir de ceux qui ont échoué et oublier ceux qui ont réussi; ne voir que les trous du gruyère; être le pessimiste qui digère mal, élimine mal, s'auto-intoxique et offre le spectacle d'un pitoyable état général.

6. *L'ajournement*: l'habitude de remettre au lendemain ce qui aurait dû être fait l'année précédente. Passer autant de temps à imaginer

des excuses qu'à mener à bien le travail. Ce symptôme décèle aussi
bien l'excès de prudence, le doute ou l'ennui. Refuser d'accepter
certaines responsabilités. Préférer le compromis au combat, s'accomo-
der des difficultés au lieu de les vaincre. Pour un centime, marchan-
der avec la vie au lieu de lui demander prospérité, opulence, richesse,
joie et bonheur. Au lieu de couper les ponts derrière soi pour rendre
la retraite impossible, élaborer des plans en prévision d'un échec,
attendre la pauvreté au lieu d'exiger la richesse. S'associer aux rési-
gnés au lieu de rechercher la compagnie de ceux qui demandent et
reçoivent la fortune.

« Juste un peu d'argent »

Certains lecteurs aimeraient, peut-être, connaître la raison qui m'a dicté
un livre sur l'argent. Pourquoi n'estimer la richesse qu'en francs? D'autres
penseront, avec raison, qu'il y a dans le monde d'autres formes de
richesse et qu'elles sont tout aussi désirables. Oui, il y a beaucoup de
richesses qui ne peuvent être évaluées en francs, mais il existe aussi des
millions de gens qui prétendent qu'avec « juste un peu d'argent » ils se
procureront tout le reste.
La raison principale qui m'a conduit à écrire ce livre sur la façon dont
on peut gagner de l'argent, résulte du fait que des millions d'hommes et
de femmes sont paralysés par la peur de la pauvreté. Les effets de cette
peur sont bien décrits par Westbrook Pegler:
«L'argent n'est qu'un disque de métal ou un morceau de papier et il existe
des trésors du coeur et de l'âme qu'il ne peut acheter mais la plupart
des gens qui ont été vaincus, sont incapables de s'en souvenir et de
nourrir leur esprit de cette vérité. Lorsqu'un homme n'arrive pas à
trouver du travail, quelque chose se passe en lui qui se remarque immédiatement dans l'affaissement de ses épaules, la façon dont il porte son
chapeau, sa démarche et son regard. Au sein de tous les gens qui ont
un travail régulier, et même s'il sait qu'ils sont moins intelligents et
moins capables que lui, il ne peut échapper au sentiment d'infériorité.
Ces gens, mêmes ses amis, se sentent supérieurs à lui et le considèrent, peut-être inconsciemment, comme une victime. Il empruntera, mais
insuffisamment pour vivre comme avant et il ne pourra emprunter très
longtemps. Emprunter pour vivre est une expérience déprimante et ce
viatique n'a pas le pouvoir stimulant de l'argent gagné. Bien sûr, cette

constatation ne s'applique ni aux épaves ni aux clochards, mais aux hommes qui se respectent et sont normalement ambitieux.

Pour les femmes qui se trouvent dans la même situation, c'est différent. D'habitude on ne pense pas à elles quand on évoque les hauts et les bas de la vie. Elles font rarement la queue pour obtenir quelque nourriture, on les voit peu souvent mendier dans les rues et on ne les reconnait pas dans une foule aux mêmes signes que les hommes. Bien sûr, je ne parle pas des clochardes des grandes villes qui sont les émules des épaves masculines, mais des femmes jeunes, honnêtes et intelligentes. Il doit y en avoir beaucoup dont le désespoir n'est pas apparent.

Un chômeur fait des kilomètres pour rencontrer celui qui peut le dépanner. Il apprend que la place est déjà prise, qu'il s'agit d'un travail rémunéré à la commission, qu'il porte sur la vente de colifichets dont personne ne veut, que personne n'achète si ce n'est par pitié. Il se retrouve dans la rue, sans but. Il marche. Il stationne devant les vitrines où s'étalent des objets de luxe qui ne sont plus pour lui. Lorsque des passants s'arrêtent près de lui, il se sent en état d'infériorité et s'écarte. Pour se reposer il va jusqu'à la gare ou dans une bibliothèque où il s'assied et se chauffe. Mais ce n'est pas ainsi qu'il trouvera du travail. Brusquement il ressort et se remet en quête, sans but précis. Il ne le sait pas mais ce n'est pas ainsi qu'il trouvera ce qu'il cherche. Il est bien habillé pour avoir conservé en bon état ses vêtements d'un temps meilleur mais il ne peut déguiser sa lassitude.

Il voit des milliers d'employés, de libraires, de pharmaciens, tous gens occupés par leurs activités, indépendants et respectables et les envie. Il n'arrive pas à se persuader qu'il est lui aussi un brave homme. Alors il s'interroge, raisonne et finalement, après des heures de réflexion il arrive à une conclusion réconfortante: il lui manque « juste un peu d'argent » pour se retrouver ce qu'il est.

Avez-vous peur d'être critiqué?

Comment l'homme en est-il arrivé à craindre les critiques? Personne n'a jamais pu le découvrir. Tout ce que l'on sait, c'est que cette crainte est fortement développée en lui.

L'auteur incline à voir dans cette peur fondamentale l'héritage d'un fond commun qui pousse l'homme non seulement à s'emparer des biens d'autrui mais, pour s'en justifier, à critiquer ses semblables. Il est bien connu qu'un voleur chargera celui qu'il dépouille, que les politiciens cherchent à s'imposer non pas en démontrant leurs propres qualités, mais en attaquant la personnalité de leurs rivaux.

Les astucieux fabricants de vêtements n'ont pas mis longtemps à exploiter cette crainte unanime de la critique. A chaque saison, ils changent la mode de nombreux articles. Qui en décide? Certainement pas les acheteurs, mais bien le fabricant. Et pourquoi change-t-il de mode si souvent? La réponse coule de source: pour vendre davantage à ceux qui redoutent d'être critiqués parce que démodés.

C'est pour la même raison que les fabriques d'automobiles modifient chaque année leurs modèles.

Nous avons vu comment les gens se conduisent par crainte d'être critiqués dans les petites choses de la vie. Observons maintenant leur conduite dans les événements importants qui régissent les relations humaines. Prenons, par exemple, un individu qui a atteint l'âge de la maturité mentale (entre 35 et 40 ans en moyenne). Si vous pouviez lire ses pensées les plus secrètes, vous sauriez qu'il refuse toutes les fables qu'on lui a fait admettre dans sa jeunesse.

Pourquoi donc la plupart des gens, même à notre époque de liberté, n'osent-ils pas avouer qu'ils ne croient plus aux fables? Uniquement parce qu'ils ont peur d'être critiqués. Hommes et femmes ont été brûlés vifs pour avoir osé nier l'existence des fantômes. Il n'est pas étonnant que nous ayons hérité cette peur des critiques.

Elle enlève à l'homme toute initiative, détruit son imagination, limite son individualité, lui ôte toute confiance en soi et le diminue de cent autres façons. Les parents font souvent un mal irréparable à leurs enfants quand'ils les critiquent sans raison. La mère d'un de mes camarades d'enfance avait l'habitude de le punir en le frappant avec une badine, lui répétant: « Tu fêteras tes vingt ans au pénitencier! » A 17 ans il fut envoyé dans une maison de correction.

La critique est une forme de service que l'on a tendance à trop dispenser. Les plus proches parents sont ceux qui ont la langue la plus pointue. Faire naître chez un enfant un complexe d'infériorité en le critiquant sans raison valable devrait être reconnu comme un crime (en réalité c'en est un et des pires). Les employeurs qui comprennent la nature humaine obtiennent le meilleur de leurs employés, non en les critiquant, mais en leur faisant des suggestions constructives. Les parents doivent suivre le même exemple avec leurs enfants. Dans le coeur humain la critique fera naître la peur ou le ressentiment. Jamais elle n'y sèmera l'amour ou l'affection.

7 comportements décèlent la peur d'être critiqué

Cette peur est presque aussi répandue que la peur de la pauvreté et ses effets sont tout aussi contraires à la réussite. Elle détruit l'initiative et décourage l'utilisation de l'imagination. Ses indices les plus importants sont:

1. *Le manque d'assurance*: il se trahit généralement par la nervosité, la timidité dans la conversation et dans les rapports avec des étrangers, par des mouvements gauches des mains et des jambes.

2. *Le manque d'équilibre*: se trahit par l'inaptitude à contrôler sa voix, la nervosité en présence de tiers, un relâchement des attitudes corporelles, une mémoire défaillante.

3. *Le manque de personnalité*: incapacité de prendre des décisions fermes, manque de charme personnel et d'habileté à exprimer des opinions définitives. Contourner les difficultés au lieu de les affronter. Etre toujours d'accord avec les autres sans se donner la peine d'établir ses propres opinions.

4. *Le complexe d'infériorité*: l'habitude de se féliciter de ses paroles et actes pour cacher son sentiment profond d'infériorité; utiliser de grands mots pour impressionner les autres (le plus souvent sans en connaître la signification); imiter les autres dans leur façon de s'habiller, de s'exprimer, de se tenir; se vanter de succès imaginaires, ce qui ressemble parfois à un complexe de supériorité.

5. *La prodigalité*: l'habitude de vouloir « mener le train de vie des Dupont » qui oblige à dépenser bien plus que son revenu.

6. *Le manque d'initiative*: l'impossibilité de saisir l'avancement qui se présente, la peur d'exprimer ses opinions, le manque de confiance en ses propres idées, les réponses évasives aux questions posées par ses supérieurs, le manque d'assurance dans son comportement et ses paroles, les tromperies en paroles et en actes.

7. *Le manque d'ambition*: la paresse mentale et physique, la tiédeur, la lenteur à prendre les décisions, être trop facilement influençable, l'habitude de critiquer les autres derrière leur dos et de les flatter

en face; l'habitude d'accepter la défaite sans protester ou d'abandonner une entreprise que les autres condamnent; suspecter les autres sans cause; le manque de tact en paroles et en manières; refuser de reconnaître ses erreurs.

Avez-vous peur de la maladie?

Cette peur peut être à la fois héritée physiquement et socialement. Elle est intimement associée, dans son origine, à la peur de vieillir et de mourir parce qu'elle rapproche l'homme « des terribles mondes » dont il ne sait rien mais qui font l'objet d'histoires gênantes. L'opinion est assez répandue que certaines personnes immorales vendent « la santé » en laissant bien vivace la peur de la maladie.

En général, l'homme craint la maladie parce qu'on lui a dépeint de façon terrifiante ce qui lui arriverait quand il mourrait. Il la craint également parce qu'elle risque de lui occasionner de grosses dépenses.

Un médecin réputé estimait que 75 % de la clientèle des praticiens souffrent d'hypocondrie (maladie imaginaire). Il a été également démontré que la peur de la maladie produit souvent les symptômes physiques de ce que l'on redoute.

Puissance de l'esprit humain! Il construit ou il détruit!

Tablant sur une faiblesse très répandue , la peur de la maladie, des dispensateurs de médicaments ont fait fortune. Cette forme d'imposture devint si importante il y a quelques dizaines d'années qu'une revue populaire mena une campagne contre quelques-uns de ses plus coupables supporters.

Par une série d'expériences effectuées il y a quelques années, il fut prouvé que les gens peuvent tomber malades par suggestion. Chez la « victime » on envoyait à intervalles réguliers trois de ses connaissances avec mission de poser exactement la même question: « Qu'est-ce que vous avez? Vous me paraissez bien pâle ». Le premier questionneur s'attirait généralement la réponse suivante, prononcée distraitement: « Non, non, je vais très bien! » Le second: « Je ne sais pas exactement, mais je ne me sens pas bien du tout! » Au troisième on avouait franchement qu'on était très malade!

Si vous ne croyez pas à cette expérience, essayez-la sur une de vos connaissances, mais ne la poussez pas trop loin.

Il a été prouvé que souvent la maladie commence sous forme de pensées négatives créées par l'individu lui-même ou qui proviennent, par suggestion, des autres.

Un sage a dit un jour: « Lorsque quelqu'un me demande comment je me porte, j'ai toujours envie de lui répondre en lui lançant mon poing dans la figure! »

Les médecins conseillent souvent à leurs patients le changement d'air parce qu'un changement « d'attitude mentale » leur est nécessaire. La peur de la maladie est comme une graine que les soucis, la peur, le découragement, la déception amoureuse ou professionnelle font germer et fructifier.

Les déceptions en affaires et en amour préparent la peur de la maladie. Après une déception amoureuse un jeune homme dut être conduit à l'hôpital. Pendant des mois il oscilla entre la vie et la mort. On consulta un spécialiste de la psychothérapie. Aussitôt il plaça au chevet du malade une *ravissante jeune femme* qui, dès le premier jour (et suivant les ordres du médecin), se montra très empressée et amoureuse de son patient. En l'espace de trois semaines, il était guéri et sortait de l'hôpital, bien que souffrant d'une toute autre maladie: à nouveau il était amoureux et quelques mois plus tard épousait sa ravissante infirmière...

La peur de la maladie et ses 7 symptômes

Les symptômes de cette peur universelle sont:

1. *L'autosuggestion*: l'habitude d'utiliser l'autosuggestion de façon négative pour chercher et espérer trouver les symptômes de toutes sortes de maladies; se « délecter » d'une maladie imaginaire et en parler comme si elle existait vraiment; essayer tous les « trucs » et tous les remèdes « de bonne femme » recommandés par les autres; raconter en détail des opérations, des accidents et toutes formes de maladie; suivre un régime, faire de la gymnastique, des cures d'amaigrissement sans contrôle médical, essayer des médicaments et des remèdes de charlatan.

2. *L'hypocondrie*: l'habitude de parler maladie, d'y concentrer son esprit, d'attendre qu'elle se manifeste jusqu'à ce que survienne une dépression nerveuse. Aucun médicament en flacon ne peut guérir l'hypocondrie. Elle est l'effet de pensées négatives et seules des

pensées positives pourront y remédier. L'hypocondrie, ou maladie imaginaire, est plus néfaste que la maladie redoutée. La plupart des cas prétendus nerveux relèvent d'une maladie imaginaire.

3. *L'indolence*: la peur de la maladie empêche la pratique des exercices physiques de plein air et se traduit par un accroissement du poids.

4. *La susceptibilité*: la peur de la maladie brise la résistance naturelle du corps et crée un terrain favorable à toutes sortes de maux. Elle est liée à la peur de la pauvreté. C'est le cas de l'hypocondriaque que tracasse l'éventualité d'une facture d'hôpital ou d'honoraires médicaux. Les gens de cette sorte gaspillent beaucoup de temps à parler de la mort, a prévoir des économies pour payer le cimetière, les frais d'enterrement, etc.

5. *La manie de se dorloter*: l'habitude de vouloir capter la sympathie en utilisant comme appât la maladie imaginaire (les gens ont souvent recours à ce stratagème pour ne pas aller travailler!); l'habitude de simuler la maladie pour masquer paresse ou manque d'ambition.

6. *L'intempérance*: l'habitude d'user de l'alcool ou des narcotiques pour noyer des souffrances telles que maux de tête, névralgies, etc. au lieu d'en éliminer la cause.

7. *Le souci*: l'habitude de lire tout ce qui concerne la maladie, la crainte de la contracter, la lecture des annonces publicitaires vantant telle spécialité pharmaceutique.

Avez-vous peur de perdre l'objet de votre amour?

Innée, cette forme de la peur résulte d'une tendance masculine à la polygamie. L'homme volera sans scrupules la compagne de son meilleur ami, ou, s'il en a l'occasion, se permettra des privautés à son égard.

La jalousie et autres formes semblables de névrose proviennent de la peur foncière de perdre l'être aimé. C'est la plus douloureuse, celle qui probablement fait le plus de ravages dans le corps ou l'esprit.

Elle est sans doute antérieure à l'âge de la pierre quand l'homme s'emparait brutalement de la femme convoitée. Si les fins sont les mêmes, la technique a changé. Il persuade, charme, promet des toilettes, une belle voiture et des avantages autrement efficaces que la brutalité. Depuis l'aube de la civilisation les habitudes humaines sont les mêmes. Elles s'expriment différemment.

Une étude minutieuse a révélé que les femmes, plus que les hommes, craignent de perdre l'objet de leur amour, ce qui s'explique aisément. Elles ont appris, souvent à leurs dépens, que la nature de l'homme est polygame.

Trois traits qui révèlent la peur de perdre l'être aimé

1. *La jalousie*: l'habitude de suspecter sans raison fondée ses amis et ceux que l'on aime; l'habitude, sans motif aucun, d'accuser sa femme ou son mari d'infidélité, soupçonner tout le monde et n'avoir confiance en personne.

2. *La critique*: sans raison critiquer ses amis, ses parents, ses associés en affaires et ceux que l'on aime.

3. *Le jeu*: jouer, voler, tricher pour rapporter de l'argent à ceux qu'on aime en croyant que l'amour s'achète; dépenser au-delà de ses moyens ou s'endetter pour faire des cadeaux à ceux qu'on aime afin de se montrer sous un jour favorable; l'insomnie, la nervosité, le manque de persévérance, la faiblesse de la volonté, le manque de maîtrise de soi, de confiance en soi, le mauvais caractère.

Avez-vous peur de vieillir?

La peur de vieillir donne à l'homme deux bons motifs d'appréhender le futur: comment se fier à un prochain qui le dépouillera et comment ne pas se laisser hanter par l'horrible évocation de l'au-delà?

Cette forme de la peur est intensifiée par les risques de maladie, d'invalidité. L'érotisme y tient sa place, personne ne chérissant la pensée d'un pouvoir sexuel diminué.

A la peur du vieil âge s'associe la crainte de la pauvreté, celle de perdre indépendance, liberté physique et économique.

Les 4 symptômes de la peur de vieillir

Les symptômes les plus courants sont:

1. *Un ralentissement prématuré*: la tendance à mettre son corps et son

esprit en veilleuse dès l'âge de 40 ans (l'âge de la maturité de l'esprit) et à développer un complexe d'infériorité en se croyant à tort fini.

2. *Demander que l'on excuse son âge*: l'habitude de parler de son âge; demander qu'on l'excuse, parce que l'on a 40 ou 50 ans, au lieu d'exprimer sa gratitude d'avoir atteint l'âge de la sagesse et de la compréhension.

3. *Tuer toute initiative*: l'initiative, l'imagination et la confiance en soi sont perdues quand on se croit à tort trop vieux pour les exercer.

4. *Se déguiser en jeune homme*: l'habitude très courante de copier les vêtements et les manières de ses cadets ne fait que rendre ridicule aux yeux des autres, même s'ils sont des amis.

Avez-vous peur de la mort?

Pour certains, cette peur fondamentale est la plus cruelle de toutes. Les terribles angoisses que donne la pensée de la mort sont, dans la plupart des cas, chargés de fanatisme religieux. Ceux que l'on appelle les « païens » ont moins peur de la mort que nous autres « civilisés ». Pendant des milliers d'années, les hommes se sont posé des questions auxquelles il n'a pas encore été répondu: D'où venons-nous? Et où allons-nous?

Il fut une époque où des individus astucieux proposaient d'y répondre moyennant monnaie.

« Viens sous ma tente, embrasse ma foi, accepte mes dogmes et je te ferai présent d'un billet qui t'ouvrira le paradis immédiatement après ta mort » disait un sectateur.

« Si tu ne viens pas, criait-il encore, le diable te prendra et te brûlera durant toute l'éternité. »

La pensée de l'éternel châtiment ôte tout intérêt à la vie et rend tout bonheur impossible.

A l'aide de la biologie, de l'astronomie, de la géologie et d'autres sciences, les peurs ancestrales se dissipent.

Le monde se compose de deux éléments: l'énergie et la matière. En physique élémentaire nous apprenons que ni l'une ni l'autre ne peut être créée ou détruite. L'une comme l'autre peut être transformée.

La vie est une énergie. Donc elle ne peut être détruite. Comme les autres

formes d'énergie, elle connaîtra plusieurs phases de transition, de changement, mais elle ne pourra être détruite. La mort n'est donc qu'une
transition.

Dans ce cas, après la mort ne peut venir qu'un long, un éternel, un
paisible repos et il n'y a aucune raison de craindre le repos. Vous
pouvez donc définitivement balayer de votre esprit la hantise de la mort.

3 symptômes révélant la peur de la mort

1. *Penser à la mort*: cette habitude est plus répandue chez les personnes
   âgées mais il arrive que les jeunes, au lieu de profiter pleinement de
   la vie, pensent à la mort. Cette habitude tient souvent à une absence
   de but ou à l'incapacité de trouver (peut-être parce que l'on manque
   d'idéal) une occupation adéquate. Le meilleur remède à la peur de
   la mort est un désir ardent d'agir et d'aider les autres. Celui qui
   est très occupé n'a pas le temps de penser à la mort.

2. *L'association avec la peur de la pauvreté*: craindre la pauvreté pour
   soi-même ou pour ceux qu'on aime alors qu'on ne sera plus là pour
   subvenir à leurs besoins.

3. *L'association avec la maladie ou le déséquilibre*: la maladie physique
   peut mener à la dépression mentale. La déception en amour, le
   fanatisme religieux, un haut degré de névrose ou la folie peuvent
   déterminer la crainte de la mort.

Le souci est une peur insidieuse

Se faire du souci est un état d'esprit qui relève de la peur. Il travaille
lentement mais sûrement. Il est insidieux et subtil. Peu à peu il « mine »
jusqu'à paralyser le raisonnement, détruire la confiance en soi et toute
initiative. Le souci est une forme de peur permanente motivée par
l'indécision: c'est donc un état d'esprit qui peut être contrôlé.

Un esprit indécis n'est d'aucun secours. La plupart des gens manquent
de volonté pour prendre des décisions rapides et s'y tenir. Pourtant,
c'est ainsi que les soucis s'envolent. J'ai interviewé un homme deux
heures avant qu'il ne s'asseye sur la chaise électrique. Il était le plus
calme des 8 condamnés de la cellule, ce qui me poussa à lui demander
comment on se sent lorsqu'on sait qu'on va mourir dans très peu de

temps. Avec un sourire confiant, il me répondit: « On se sent bien, pensez, mes ennuis vont se terminer. Je n'ai eu que ça dans la vie. J'ai toujours eu tellement de peine à me procurer de quoi manger et m'habiller. Je n'ai plus à m'en préoccuper maintenant et vous voudriez que je ne me sente pas bien? Depuis que je sais que je vais mourir, je fais bonne figure à mon destin. »

Tout en parlant, il dévorait un repas pour trois personnes et jouissait de la bonne chère exactement comme si sa vie ne devait pas s'arrêter deux heures plus tard. Sa résolution lui avait donné la force d'accepter son destin.

Délivrez-vous à jamais de la peur de la mort. Prenez la décision d'accepter celle-ci comme un événement auquel on n'échappe pas; délivrez-vous de la peur de la pauvreté en décidant de vous procurer la richesse; de la peur de la critique en décidant de ne pas vous soucier de ce que les gens pourront penser, dire ou faire; de la peur de vieillir en décidant d'accepter la vieillesse comme une grande bénédiction porteuse de la sagesse, de la maîtrise de soi, et de la compréhension qui font défaut à la jeunesse; de la peur de la maladie en décidant d'oublier ses symptômes; de la peur de perdre l'objet de votre amour en décidant de vivre sans amour, si cela est nécessaire.

Abandonnez l'habitude de vous faire du souci à propos de tout et de rien; décidez une fois pour toutes que *rien* de ce que peut apporter la vie ne vaut le tourment qu'on se crée.

Cette décision vous assurera équilibre, tranquilité d'esprit et indirectement le bonheur.

Un homme qui a peur ne détruit pas seulement ses propres chances d'agir intelligemment, mais transmet ces ondes destructrices aux cerveaux de tous ceux qui entrent en contact avec lui et détruit ainsi leurs chances. Un chien ou un cheval sent quand son maître est angoissé. Il recueille les ondes de peur émises par ce dernier et agit en conséquence.

Les pensées destructives

Les ondes de peur passent d'un esprit à l'autre aussi rapidement et sûrement que le son de la voix humaine passe de la station émettrice au poste récepteur de votre radio.

Celui qui exprime par la parole ses pensées négatives ou destructives peut être sûr de voir celles-ci faire choc en retour. Sans l'aide des mots, les pensées suffisent à attirer les mauvais coups du sort.

Premièrement, et c'est très important, celui qui libère des pensées destructives, souffrira surtout dans son imagination créatrice qui sera brisée. Deuxièmement: dans l'esprit, la présence de toute émotion destructive développe une personnalité négative qui, loin d'attirer les êtres, les repousse et souvent les rend hostiles. Troisièmement: ces pensées négatives s'incrustent dans le subconscient de la personne qui les libère et finissent par faire partie de son caractère.

Sans doute, la grande affaire de votre vie est-elle de réussir. Pour cela, vous devez trouver la paix de l'esprit, acquérir les besoins matériels indispensables et surtout parvenir au bonheur. Toutes ces preuves de succès naissent sous forme de pensées.

Vous pouvez contrôler votre propre pensée, la nourrir des idées que vous aurez choisies. Vous avez le privilège mais aussi la responsabilité de l'utiliser dans un but constructif. Vous êtes le maître de votre destinée terrestre aussi sûrement que vous possédez le pouvoir de contrôler vos pensées. Vous pouvez directement ou indirectement influencer votre ambiance, faire de votre vie ce que vous vouliez qu'elle fût. Vous pouvez négliger d'exercer ce privilège, obéir à votre vie et vous jeter ainsi dans la vaste mer des « circonstances » où vous serez ballotté de-ci de-là comme un copeau sur les vagues de l'océan.

Etes-vous trop réceptif?

Outre cette peur fondamentale qui s'exprime de six manières différentes, il est un mal dont tout le monde souffre. Il constitue un sol fertile où les graines de l'échec germent en abondance. Il est si subtil que souvent il n'est pas détecté. Il ne peut être classé parmi les formes de la peur étant plus profondément ancré et plus souvent fatal. En attendant de lui trouver un meilleur nom, appelons-le « *réceptivité aux influences négatives* ».

Les hommes qui ont fait fortune se sont toujours protégés contre ce mal. Les pauvres n'y sont jamais parvenus. Ceux qui réussissent tout ce qu'ils entreprennent ont dû apprendre à leur esprit à résister au mal. Si vous étudiez cette philosophie dans le but de faire fortune, examinez-vous très attentivement afin de déterminer si vous êtes ou non réceptif aux influences négatives. Si vous négligez cette auto-analyse, vous n'atteindrez pas l'objet de votre désir.

Après avoir lu les questions préparées à cet effet, répondez-y brièvement et sincèrement. Faites-le aussi attentivement que si vous cherchiez à démasquer un ennemi qui vous a tendu un piège, et traitez vos erreurs en ennemis tangibles.

Vous pouvez aisément vous protéger des voleurs de grand chemin: la loi vous y aide, mais ce « septième mal fondamental » est plus difficile à maîtriser parce qu'il frappe que l'on soit endormi ou éveillé, sans que l'on ait repéré sa présence. De plus son arme est intangible: c'est un état d'âme. Il est dangereux parce qu'il frappe sous des formes très diverses et pour chacun l'expérience est différente. Quelquefois, il entre en nous par les paroles bien intentionnées d'un parent; d'autres fois, il vient de l'intérieur, à travers une attitude mentale qui nous est propre. C'est toujours un poison mortel bien qu'il n'entraîne pas une mort rapide.

Protégez-vous

Pour vous protéger des influences négatives créées par vous-même ou résultant des activités négatives de votre entourage, n'oubliez pas que le pouvoir de votre volonté est à votre disposition. Faites-le travailler jusqu'à ce qu'il élève autour de vous un mur de protection contre les mauvaises influences de votre propre esprit.

Reconnaissez que tous les êtres humains sont par nature paresseux, indifférents et réceptifs à toutes les suggestions qui flattent leurs faiblesses; que vous êtes par nature réceptif aux 6 formes fondamentales de la peur et qu'il vous faut bâtir des habitudes qui contrecarront toutes ces peurs; que les influences négatives agissent souvent sur vous par l'intermédiaire de votre subconscient, bien qu'elles soient difficiles à détecter, et n'ouvrez pas votre esprit aux gens qui vous dépriment ou qui vous découragent d'une façon ou d'une autre.

Mettez de l'ordre dans votre armoire à pharmacie, jetez tubes et flacons et cessez d'être le ministre complaisant de vos rhumes, maux de tête, douleurs et maladies imaginaires.

Recherchez délibérément la compagnie des gens qui vous poussent à réfléchir, à agir par vous-même.

Si vous vous attendez à des ennuis, vous en aurez.

Sans aucun doute, la faiblesse la plus courante chez l'être humain est l'habitude qu'il a de laisser son esprit ouvert à l'influence négative des autres. Cette faiblesse fait le plus de mal, parce que la plupart des gens ne savent pas qu'ils en sont la victime et beaucoup de ceux qui le savent, négligent ou refusent de la corriger. Elle devient finalement part incontrôlable de leurs habitudes quotidiennes.

Pour aider ceux qui désirent se voir tels qu'ils sont réellement, nous avons préparé une liste de questions. Lisez-là et répondez-y tout haut de façon à entendre votre propre voix. Cela vous aidera à être sincère envers vous-même.

Réfléchissez avant de répondre

Vous plaignez-vous souvent de « vous sentir peu bien », et si oui, pourquoi?

Critiquez-vous les autres à la moindre provocation?

Faites-vous fréquemment des erreurs dans votre travail, et si oui, pourquoi?

Etes-vous sarcastique et agressif dans votre conversation?

Evitez-vous délibérément l'association avec une personne quelconque et si oui, pourquoi?

Souffrez-vous d'indigestion, si oui quelle en est la cause?

La vie vous semble-t-elle futile et votre avenir vous paraît-il sans espoir?

Aimez-vous votre travail? Si non, pourquoi?

Vous apitoyez-vous souvent sur vous-même et si oui dans quel cas et pourquoi?

Enviez-vous ceux qui réussissent mieux que vous?

A quoi pensez-vous le plus, au succès ou à l'échec?

En vieillissant augmentez-vous votre confiance en vous ou la perdez-vous?

Avez-vous tiré une leçon valable de vos erreurs?

Laissez-vous un parent ou une connaissance vous tourmenter, si oui pour quelle raison?

Etes-vous parfois au comble de l'exaltation et à d'autres moments dans l'abattement le plus profond?

Qui a le plus d'influence sur vous — bonne cette fois? Quelle en est la cause?

Tolérez-vous les influences négatives ou décourageantes que vous pourriez éviter?

Négligez-vous votre apparence physique? Si oui, quand et pourquoi?

Avez-vous appris à noyer vos ennuis dans un travail qui vous absorbe trop pour vous laisser le temps d'y penser?

Estimerez-vous que vous êtes un faible si vous laissez les autres penser à votre place?

Combien avez-vous de sources d'ennui que vous auriez pu éviter et pourquoi les tolérez-vous?

Avez-vous recours à l'alcool, aux narcotiques ou au tabac pour « calmer vos nerfs »? Si oui, pourquoi n'y essayez-vous pas le pouvoir de votre volonté?

Quelqu'un vous harcèle-t-il? Si oui pour quelle raison?

Avez-vous un but bien précis, si oui, quel est-il et quel est le plan que vous avez élaboré pour l'atteindre?

Souffrez-vous d'une des six formes fondamentales de la peur? Si oui, de laquelle ou desquelles?

Avez-vous une méthode pour vous protéger des influences négatives des autres?

Pour rendre votre esprit positif avez-vous délibérément recours à l'autosuggestion?

Qu'est-ce qui a pour vous le plus de prix? Vos possessions matérielles ou le pouvoir de contrôler vos pensées?

Etes-vous facilement influencé par les autres au détriment de votre propre jugement?

La journée d'aujourd'hui a-t-elle ajouté quelque chose de valable à vos connaissances ou à votre état d'esprit?

Affrontez-vous en face les circonstances qui vous rendent malheureux ou en fuyez-vous la responsabilité?

Analysez-vous vos erreurs, les échecs que vous avez subis et essayez-vous d'en tirer une leçon profitable ou pensez-vous que cela ne sert à rien?

Pouvez-vous nommer trois des faiblesses qui vous font le plus de tort? Que faites-vous pour les surmonter?

Encouragez-vous les autres à vous raconter leurs ennuis?

Choisissez-vous dans votre expérience quotidienne les leçons ou les influences qui aideraient à·votre avancement personnel?

En règle générale, votre présence a-t-elle une influence négative sur les autres?

Quelles sont les habitudes qui vous dérangent le plus chez les autres?

Elaborez-vous vos opinions ou laissez-vous les autres vous influencer?

Etes-vous arrivé à un état d'esprit qui vous protège contre les influences déprimantes?

Votre occupation vous inspire-t-elle foi et espoir?

Etes-vous conscient de posséder des forces spirituelles dont le pouvoir suffit à garder votre esprit de toute forme de peur?

Votre religion vous aide-t-elle à conserver un état d'esprit positif?

Pensez-vous qu'il soit de votre devoir de partager les soucis des autres? Si oui, pourquoi?

Si vous croyez que « qui se ressemble s'assemble », qu'avez-vous appris sur vous-même en étudiant les amis que vous avez choisis?

Voyez-vous une relation, et quelle est-elle, entre les gens avec qui vous êtes le plus lié et un malheur quelconque qui vous est arrivé?

Croyez-vous possible qu'une personne que vous considérez comme votre amie soit en réalité votre pire ennemie par l'influence négative qu'elle a sur votre esprit?

Selon quel critère jugez-vous ce qui vous est utile et ce qui ne l'est pas?

Vos associés en affaires sont-ils intellectuellement supérieurs ou inférieurs à vous?

En 24 heures, quelle est la part de temps que vous consacrez à:

a) votre profession
b) votre sommeil
c) vos loisirs et moments de détente
d) l'étude de connaissances utiles
e) ne rien faire du tout

Qui parmi vos connaissances:

a) vous encourage le plus
b) vous engage le plus à la prudence
c) vous décourage le plus

Quelle est votre plus grande préoccupation? Pourquoi l'acceptez-vous?

Quand on vous donne un avis désintéressé et non sollicité, l'acceptez-vous sans poser de questions, sans chercher les motifs qui l'ont suscité?

Qu'est-ce que vous désirez le plus au monde? Avez-vous l'intention de l'acquérir? Etes-vous décidé à subordonner tous vos autres désirs à celui-là? Combien de temps par jour consacrez-vous à son acquisition?

Changez-vous d'avis souvent? Si oui, pourquoi?

D'habitude finissez-vous tout ce que vous avez commencé?

Vous laissez-vous facilement impressionner par les titres, par le rang professionnel, par les diplômes ou les richesses des autres?

Etes-vous facilement influencé par ce que les autres pensent et disent de vous?

Vous intéressez-vous aux gens en raison de leur position sociale ou financière?

Quel est à votre avis le plus grand personnage vivant de notre époque? Dans quel sens cette personne est-elle supérieure à vous?

Combien de temps avez-vous mis pour étudier ces questions et y répondre? (Il vous faut au moins 1 jour.)

Si vous y avez répondu sincèrement vous vous connaissez mieux que la plupart des gens ne se connaissent. Etudiez soigneusement vos réponses; pendant plusieurs mois, revoyez-les une fois par semaine et vous serez stupéfait des connaissances précieuses que, par cette simple méthode, vous aurez acquises à votre sujet. Si vous hésitez sur quelques réponses à donner, demandez conseil à ceux qui vous connaissent bien, spécialement à ceux qui n'ont pas de raison de vous flatter, et voyez-vous par leur yeux. L'expérience est stupéfiante.

La différence que l'on peut constater avec le contrôle de l'esprit

Vous n'avez de contrôle absolu que sur vos pensées. C'est le fait le plus significatif qu'observe l'homme. Il reflète sa nature divine. Cette prérogative est votre seul moyen de contrôle sur la destinée. Si vous n'arrivez pas à maîtriser votre propre esprit, vous pouvez être sûr que vous n'arriverez jamais à maîtriser quoi que ce soit. Si vous devez négliger ce qui vous appartient, il vaut mieux que se soient les biens matériels. *Votre esprit est votre bien spirituel!* Protégez-le et utilisez-le avec tout le soin que requiert son origine divine. Vous avez reçu à cet effet un pouvoir, celui de la volonté.

Malheureusement, il n'existe pas de protection légale contre ceux qui, soit intentionnellement, soit par ignorance, empoisonnent l'esprit des autres par des suggestions négatives. Cette forme de destruction devrait être punissable de lourdes sanctions pénales, parce qu'elle peut ruiner, et souvent elle le fait, les chances qu'a tout homme d'acquérir des biens matériels.

Des gens d'esprit négatif essayèrent de persuader Thomas A. Edison qu'il était impossible de construire une machine propre à enregistrer la voix humaine et à la reproduire, « parce que, disaient-ils, personne n'y a encore jamais pensé ». Edison ne les crut pas. Il savait que son esprit pourrait engendrer n'importe quel objet conçu par lui et auquel il croirait. Cette connaissance lui permit de s'élever au-dessus du commun des mortels.

Des gens à l'esprit négatif prédirent à F. W. Woolworth qu'il irait à la ruine s'il ouvrait un magasin « bon marché ». Il ne les crut pas. Comme il en avait le droit, il ferma son esprit aux suggestions négatives et amassa une fortune de plus de cent millions de dollars.

Des Thomas sceptiques ricanèrent lorsque Henry Ford essaya dans les rues de Detroit la première automobile, assez sommairement construite. Certains dirent que « cette machine » ne prendrait jamais, d'autres, que cette invention ne valait pas un sou. Ford riposta: « J'inonderai la terre d'automobiles. » Il tint parole. A ceux qui désirent faire fortune, je rappellerai la différence, à retenir, entre Ford et la plupart des gens: Ford avait un cerveau et le contrôlait. Les autres ont un cerveau mais n'essaient pas de le contrôler.

Le contrôle de l'esprit est le résultat de l'autodiscipline et de l'habitude. Ou vous contrôlez votre esprit ou c'est votre esprit qui vous contrôle. Il n'y a pas de moyen terme. Prenez l'habitude de l'occuper dans un but précis, selon un plan défini. Etudiez la vie d'un homme qui a obtenu de grands succès. Vous verrez qu'il ne procède pas autrement.

Avez-vous recours aux excuses?

Les gens qui ne réussissent pas ont un trait commun: ils connaissent les raisons de leurs échecs et les expliquent en les excusant irréfutablement. Du moins le croient-ils.

Certaines de ces excuses sont intelligentes et fort peu sont justifiées par les circonstances. Mais les excuses n'ont jamais fabriqué l'argent et le monde ne s'intéresse qu'à une victoire remportée.

Voici une liste des excuses le plus couramment employées. Faites votre examen personnel et déterminez celles que vous avez coutume d'utiliser. Rappelez-vous que la philosophie que développe ce livre les infirme toutes.

SI je n'avais pas une femme et des enfants...
SI j'avais plus de « piston »...
SI j'avais de l'argent...
SI j'avais une bonne instruction...

SI je pouvais trouver du travail...
SI j'avais la santé...
SI seulement j'avais le temps...
SI les temps étaient meilleurs...
SI les autres me comprenaient...
SI les circonstances étaient différentes...
SI je pouvais revivre ma vie...
SI je n'avais pas peur du « qu'en dira-t-on »...
SI on m'avait donné ma chance...
SI on me donnait ma chance...
SI les autres n'avaient pas une « dent » contre moi...
SI rien ne m'avait arrêté...
SI j'étais plus jeune...
SI je pouvais faire ce que je veux...
SI j'étais né riche...
SI je pouvais rencontrer un tel...
SI j'avais le talent que certains ont...
SI j'osais me mettre en avant...
SI seulement j'avais su profiter des occasions passées...
SI les gens ne m'énervaient pas autant...
SI je ne devais pas garder la maison et m'occuper des enfants...
SI je pouvais mettre de l'argent de côté...
SI mon patron pouvait seulement me remarquer...
SI au moins j'avais quelqu'un pour m'aider...
SI ma famille me comprenait...
SI je vivais dans une grande ville...
SI on pouvait m'aider à commencer...
SI seulement j'étais libre...
SI j'avais la personnalité d'un tel...
SI je n'étais pas si gros...
SI mon talent était reconnu...
SI je pouvais avoir juste la bonne idée...
SI je pouvais régler mes dettes...
SI je n'avais pas échoué...
SI seulement j'avais su comment...
SI personne ne me met les bâtons dans les roues...
SI je n'avais pas tant de soucis...
SI j'avais pu épouser la personne qu'il me fallait...

SI les gens n'étaient pas si bêtes...
SI ma famille n'était pas si extravagante...
SI j'étais sûr de moi...
SI la chance n'avait pas été contre moi...
SI je n'étais pas né sous une mauvaise étoile...
SI ce n'était pas vrai que « ce qui doit être sera »...
SI je n'avais pas à travailler si dur...
SI je n'avais pas perdu tout mon argent...
SI je vivais dans un autre milieu...
SI je n'avais pas de « passé »...
SI seulement j'avais une affaire à moi...
SI les autres voulaient seulement m'écouter...
SI ... et c'est le plus grand de tous, *si* j'avais le courage de me voir tel que je suis réellement, *je trouverais ce qui « cloche » en moi et j'y remédierais.* J'aurais alors une chance de savoir profiter de mes erreurs et de tirer un enseignement des expériences d'autrui. Je voudrais maintenant être là où j'aurais été si j'avais passé plus de temps à analyser mes faiblesses et moins de temps à leur chercher des excuses et des masques.

L'habitude fatale au succès

Justifier un échec par des excuses est un passe-temps national! Cette habitude, aussi ancienne que la race humaine, est *fatale au succès*. Pourquoi les gens se cramponnent-ils à leurs excuses? Parce qu'ils les ont créées. L'excuse d'un homme est l'enfant de son imagination. Défendre sa progéniture est humain.

Imaginer des excuses est une habitude fortement enracinée. Les habitudes sont difficiles à rompre, spécialement quand elles veulent justifier des actes. Platon y pensait lorsqu'il disait: « La première et la plus belle victoire de l'homme est la conquête de soi-même. Etre conquis par son être est la chose la plus honteuse et répugnante qui soit. »

Un autre philosophe déclarait: « Je fus très surpris lorsque je découvris que la plupart des laideurs que je voyais chez les autres n'étaient qu'un reflet de ma propre nature. »

« Certaines personnes restent pour moi des énigmes » dit Elbert Hubbard, « ce sont celles qui se trompent en consacrant beaucoup de temps à la mise au point de leurs excuses. Elles n'en consacreraient pas plus à vaincre leurs faiblesses et d'excuses, il n'y en aurait plus besoin. »

Avant de terminer je voudrais vous rappeler que si la vie est un échiquier, le joueur qui vous fait face est le temps. Si vous hésitez avant d'agir ou si vous négligez d'agir promptement, vos pièces seront balayées par le temps. Vous jouez contre un adversaire qui ne tolère aucune indécision.

Jusqu'à présent, vous aviez, peut-être, une bonne excuse de ne pas contraindre la vie à vous donner ce que vous lui demandez mais votre excuse ne vaut plus rien car vous possédez dorénavant le sésame de la richesse.

Ce sésame est intangible mais tout-puissant. C'est le pouvoir d'engendrer *en votre esprit*, stimulé par un ardent désir, une forme définie de richesse. Si vous utilisez cette clé, aucune sanction ne sera prise contre vous. Si vous ne l'utilisez pas, vous risquez d'avoir à le payer. Si vous vous en servez, une belle récompense vous attend: c'est la satisfaction que ressentent tout ceux qui *se maîtrisent et qui forcent la vie à leur donner ce qu'ils lui demandent.*

La récompense vaut bien un effort de votre part. Tentez-le. Vous en serez plus vite convaincu.

« Si nous avons des points communs, a dit l'immortel Emerson, nous nous rencontrerons. » Puis-je lui emprunter cette pensée et dire: « Si nous avons des points en commun, nous nous sommes rencontrés à travers ces pages. »

RÉSUMÉ:

La peur est monnaie courante. Elle revêt plusieurs formes d'expression dont certaines se justifient; d'autres, sans que l'individu s'en doute, germent et prennent racine. Pour vous en affranchir, libérez-vous du doute et de l'indécision.

Vos excuses sont révélatrices de ce que vous êtes. Vous n'en aurez plus besoin si vous RÉFLÉCHISSEZ ET DEVENEZ RICHE.

Vous pouvez acquérir des richesses en espèces, des richesses monnayables et d'autres qui ne peuvent être financièrement évaluées quoique l'argent aide à trouver le bonheur, le plaisir, la vie quiète et la paix de l'esprit.

Le trésor le plus précieux de tous, une bonne santé, peut être vôtre si vous êtes vainqueur de la peur et si vous vous débarrassez de toutes les maladies qu'elle propage et détermine. Les plus grands trésors de la vie attendent que vous vous en saisissiez.

UN HOMME SANS PEUR RÉUSSIT
TOUT CE QU'IL ENTREPREND

Achevé d'imprimer
en mars mil neuf cent soixante-seize
sur les presses de l'Imprimerie Gagné Ltée
Saint-Justin - Montréal, Qué.